굿바이

술

새로운사람들은 항상 새롭습니다.
독자의 눈과 가슴으로 생각하여 한 발 먼저 준비합니다.
첫 만남의 가슴 떨림으로 여러분을 찾아가겠습니다.

# 굿바이

# 술

## 이렇게 좋은 걸 왜 망설였지?

김영복 지음

새로운사람들

# 귀하디귀한 '인류의 음료'로 거듭나는 계기

고대의 그리스인들은 포도가 자연 발표된 와인을 두고 '신의 음료'라고 일컬었다고 한다. 그리스뿐만 아니라 인류의 문명이 시작된 지구촌 어디서나 술은 '신의 음료'로서 자연과 신에게 감사를 드리는 축제에서는 빼놓을 수 없는 '신성한 음식'이었을 것이다.

디오니소스 축제를 와인과 떼어놓고 생각할 수 없듯이 고대의 우리 민족 축제인 영고(迎鼓)와 무천(舞天)에서도 술이 빠지지는 않았을 것이다. 말하자면 '신의 음료'였던 술이 '인류의 음료'라는 선물로 주어지면서 신과 인간의 소통은 물론 인간과 인간의 소통에도 이바지하지 않았을까 하는 생각이 든다.

작가가 된 경찰관 김영복이 처음 쓴 책의 추천사를 부탁받고 『굿바이 술』이라는 제목을 보자마자 불쑥 이런 생각이 떠올랐던 것은 "술은 신이 인류에게 내린 선물인데 이쯤에서 반품(返品)하자는 말인가?" 하는 내 머릿속의 엉뚱한 반문(反問) 때문이다.

감성의 바다에서 창작의 삶에 매달리는 사람으로서 술과의 인연이 수월
치만은 않았던 나로서는 조금 서운한 책 제목으로 여겼던 게 아닐까 싶기
도 하다. 그렇다고 지은이의 충정을 헤아리지 못해서 서운하다는 것은 더
더욱 아니다.

그런데 따지고 보면 술이라는 게 참 묘하다. '신의 선물'이라는 말에 걸
맞게 천(千)의 얼굴을 가지고 있다고 해도 좋겠다. 적당히 조절할 수 있을
때는 참 좋은 벗이 되지만 자칫 인간을 가만히 내버려두려고 하지 않는다.
처음에는 마시고 싶을 때 적당히 마시다가도, 시간이 지날수록 점점 습관
적으로 마시게 마련이다.

술의 정령인 알코올, 즉 독성이 몸을 지배하기 시작하면 술기운이 있어
야 몸이 움직여지고, 마시는 양도 점점 많아진다. 이를 두고 사람이 술을
마시는 것이 아니라, 술이 술을 마시고, 마침내 술이 사람을 마셔 버린다
고 한다.

이렇게 술에 찌들다 보면 당연히 행동도 달라진다. 처음에는 양(羊)처럼
순하게 마시기 시작하여 기분이 좋아지면 원숭이(猿)처럼 까불다가, 사자
(獅子)처럼 용맹스럽게 변하고, 마침내 돼지처럼 자기가 뱉은 오물에 몸을
비비며 몸과 마음을 더럽히고 만다는 것이다.

그러는 동안 자신의 의지와는 상관없이 몽유병자처럼 하지 말아야 할 짓
을 대담하게 저지르기도 하고, 여러 가지 실수를 일삼거나 이상한 습관에
길들여져서 스스로 파멸의 구렁텅이로 걸어 들어가는 결과를 초래한다.

말하자면 『굿바이 술』은 이런 상태를 예방하자는 책이라고 생각한다. 이런 상태야말로 신과 인간이 교감하는 무대였던 축제(祝祭)의 훼손으로 자신을 통제하는 능력을 상실함으로써 신이 인간에게 준 선물을 모독하는 경우라고 하겠다.

술을 끊은 지 8년째라는 지은이가 민생 현장의 경찰관으로 부대끼면서도 시민들과 관계가 원만하다는 이야기를 들으면서 이제 술의 역할도 일그러진 초상에서 벗어나 조금은 회복되어야 하겠구나 하는 생각이 들었다.

지은이의 주장처럼 단주(斷酒)를 하고 금주(禁酒)를 하는 경우야 더할 나위 없겠지만, 술을 '신의 선물'로 거듭나게 하여 진정한 축제의 의미를 부활시키는 건전한 음주문화를 위해서도 이 책은 충분한 역할을 할 것으로 보인다.

만화가 이현세

시작하면서

우리의 순간순간은 선택의 연속이다. 어떤 선택을 하느냐에 따라 운명까지 달라진다. 나 역시 그때 그 한 순간의 선택이 내 모든 것을 바꾸어 놓았다. 만약 그때 내가 그 선택을 하지 않았다면 지금 나는 어떤 모습으로 살아가고 있을까?

내 인생에서 가장 탁월한 선택이라면 금주와 금연이다. 나는 날마다 이 탁월한 선택을 통해 변화하는 삶을 살아가고 있다.

경찰관인 나는 20년 전, 국립과학수사연구소에서의 변사체 부검에 참가한 일이 있다. 그때 교통사고조사관이었던 나는 뺑소니차량의 피해를 입은 사람에 대한 수사가 필요했다. 그날 담당의사는 전국 경찰관서에서 보낸 의문의 변사체 10여 구도 함께 부검을 했다.

어떤 50대 남성의 병든 폐를 보았다. 마치 아스팔트 공사 때 쓰는 콜타르처럼 시커멓고 끈적끈적해 보였다. 숯처럼 까만 것이 여기저기 굳어 있었다.

"폐암은 자각증세가 없다가 말기쯤 통증이 오지요."

의사는 금연해야 한다는 말을 이렇게 했다.

담배를 많이 피워 폐가 병들었다는 말에 겁이 덜컥 났다. 나도 계속 담배를 즐겨 피우다간 언젠가 저렇게 될 수 있다는 생각이 들었다. 이참에 담배를 끊자고 결심했다. 무엇보다 몸속의 병든 장기를 내 눈으로 생생하게 보았기에 충격은 더 컸다.

요즘은 〈생로병사〉나 〈명의〉 같은 TV프로에도 모자이크 처리 없이 몸속의 장기를 보여주고 있지만 그때는 불가능했다. 그 충격 때문이었던지 쉽게 담배를 끊을 수 있었다.

단주도 그랬다. 술을 좋아하는 사람이 단주를 한다는 것은 엄청난 고통이다. 필자도 술을 좋아했기에 단주가 어렵다는 것을 누구보다 잘 안다.

술을 자신하던 필자가 40대 중반에 접어들면서 실수하는 일이 생기기 시작했다. 손에 들고 다니던 소지품은 물론 지갑이나 외투를 잃어버리거나 음식점에 두고 오기도 했다.

어떤 때는 술에 취해 쓰러진 일도 있었다. "이러다간 목숨을 잃을 수도 있겠구나?" 하는 생각에 단주를 시도했다. 하지만 매번 작심삼일로 끝나고 말았다.

마지막으로 단주를 결심하게 된 것은 2006년 겨울 크리스마스이브를 며칠 앞둔 어느 날이었다. 그날은 20대 초반인 지인의 아들이 술에 취해 쓰러져 있다가 뺑소니차량에 사망한 날이기도 하다.

생떼 같은 아들을 잃은 부모의 애절한 절규를 보고 술의 무서움에 몸서리치게 되었다. 한편으로는 술을 좋아하는 나의 두 아들도 내가 모범을 보이면 단주할 것 같다는 생각에 더욱 단주를 결심하게 되었다.

나는 2007년부터 경찰의 일선인 지구대와 파출소 근무를 하고 있다.

근무하면서 술 때문에 패가망신하거나 가정이 파괴되는 사건사고를 많이 처리한다. 그럴 때마다 금주나 건전한 음주문화 정착이 반드시 필요하다는 것을 확신한다.

필자의 금주 실천은 제사를 지내고 음복주도 하지 않을 만큼 철저하다. 나 자신과의 약속을 지금까지 잘 지키고 있어 대견스럽기도 하고 행복하기도 하다.

하지만 여간 조심스럽지 않다. 어떤 때는 갑자기 술 생각이 문득문득 나기 때문이다. 그만큼 알코올 중독은 재발 가능성이 높고 무섭다.

누구든 술을 많이 마시면 틀림없이 실수를 하고 재산상 손해를 본다. 또 건강이 나빠지거나 인생을 망친다. 알코올 중독으로 병마와 싸우는 사람들과 술 때문에 망신을 당하고 심지어 옷을 벗는 직장 동료들을 보면서 더욱 실감한다.

매번 112신고를 받고 현장에 출동할 때면 관련자들이 술을 마셨는지부터 조사한다. 경찰에 신고가 되는 사건사고의 90% 이상은 술이 원인이기 때문이다. 사건사고의 피해자라면 그보다 억울한 일은 없을 것이다.

지난 해 직장을 구하기 위해 밤늦게까지 공부하고 집으로 돌아가던 20대 후반의 피해자가 음주 운전 차량에 사망한 일이 있었다. 아들의 비보를 듣고 달려온 부모는 그 자리에서 실신해 버렸다. 그 피해자는 신호에 따라 횡단보도를 건너가고 있었을 뿐이었다.

알코올 중독자들도 처음에는 건전하게 술을 마신다고 장담하지만 나중에는 자제력을 잃고 만다. 한두 번의 실수가 급기야 나쁜 버릇과 습관으로 이어지고 필름이 끊기는 '블랙아웃'에 이어 마침내 알코올 중독자로 발전하는 것이다.

그 술을 어떻게 다스리느냐에 따라 여러분의 운명도 바뀐다.

한 번뿐인 인생, 그 한 번의 인생에서 술과 담배를 잘못 선택하여 생명이나 건강을 잃고 패가망신한다면 얼마나 억울한 일인가.

전날 술 마신 일이 잘 생각나지 않는 독자라면 당장 술과 결별하시라. 치매의 원인이 되는 뇌세포가 파괴되고 있기 때문이다.

이 책의 내용은 애주가라면 누구나 '한 번쯤 술에 취해 내가 겪은 일'이라고 말할 것이다. 남녀노소 지위고하를 막론하고 발생한 사례들을 풍부하게 소개해 놓았다. 전국의 일선 경찰관들이 거의 매일 사건사고 현장에서 취급하고 있는 일이기에 더욱 생생할 것이다.

이 책을 끝까지 읽은 독자라면 단주나 건전한 음주를 결심하고 롤 모델을 정해 변화를 시도할 것이다. 최악의 실수를 떠올리며 단주를 실천하다 보면 술 시간 대신 새로운 인생의 여유를 만끽하는 여러분을 만날 수 있다.

그런 의미에서 이 책은 단주나 건전한 음주습관 정착을 위해 꼭 필요한 길잡이가 될 것으로 확신한다. 사생활 등을 고려하여 이 책에 등장하는 인물들은 모두 가명假名으로 표기했다는 것을 밝혀둔다.

부디 단주斷酒와 절주節酒에 성공한 주인공이 여러분이길 희망하며.


2014년 6월 15일
지은이 김영복

# contents

제1장

음주 패트롤 24시

# 술 취한 대한민국

사계절에서 여름으로 갈수록 술과 관련한 사건사고가 더 많이 발생한다. 112신고가 본격적으로 접수되는 시간은 저녁에 해가 넘어가면서부터다. 거의 매일 밤, 술 때문에 울고 웃는 일이 숱하게 벌어지곤 한다.

밤 11시 반경 사람이 쓰러져 있다는 신고가 접수되었다. 체격이 백두급 씨름선수 같은 청년이 술을 이기지 못해 쓰러져 있었다. 빌라 주차장 어두운 곳, 바람이 계속 쏟아져 나오는 에어컨 실외기 앞에 큰대자로 누워 있었다. 빌라에 사는 사람이 주차를 하려다가 취객을 발견하고 깜짝 놀라 신고를 했던 것이다.

190센티미터 가량의 키에 100킬로그램이 넘어 보이는 청년이 술에 취해 코를 골며 자고 있었다. 술 냄새가 진동했다. 흔들고 꼬집고 소리를 쳐도 꼼짝하지 않는다. 지나가던 사람들은 어떻게 처리하는지 구경하러 모여들었다.

이럴 때 깨울 수 있는 방법이 하나 있다. 세 번째 손가락이 튀어나오게 주먹을 쥐고 명치부위를 눌러주면 엄청 아프다, 누가되었던 아무리 술에 취해 있더라도 통증을 느끼며 일어난다. 그런데 언제 주먹이 날아올지 모르기 때문에 긴장하고 조심해야 한다.

청년은 너무 크고 뚱뚱해서 이것도 먹혀들지 않다가 서너 번을 시도하자 겨우 일어났다. 일단 주차장에서 나오게 하려고 일으켜 세웠다. 동료와 함께 청년의 겨드랑이에 손을 넣고 부축을 하는데도 잘 안 된다. 참으로 볼 만하다. 등에서는 연신 땀이 흘러내린다. 간신히 주차장에서 나와 남의 집 앞에 앉혀 놓은 다음 연락을 받고 도착한 가족에게 인계했다.

이번에는 강남구 대치동 베스티안 서울병원에서 급하게 경찰관을 찾았다. 응급실에서 술 취한 환자가 난동을 피운다는 신고였다. 술에 취해 쓰러져 있는 70대 초반의 할아버지를 119구급차량으로 병원까지 옮겼는데 입술 부근에는 피가 흥건했다.

아마도 앞으로 꼬꾸라지면서 이빨이 부러진 것 같았다. 술의 마취효과 때문인지 피를 철철 흘리면서도 고통 대신 고함을 질러대며 술주정을 하고 있었다. 다친 시간이 오래되었는지 입술 한쪽에는 검붉은 피가 굳어 있었다.

치료를 하겠다고 하자 고함을 지르며 거부하는 바람에 응급처치도 못한 모양이었다. 의사는 기본적인 인적사항을 몰라서 술이 깰 때까지 기다리는 중이라고 변명했다. 할아버지가 소변을 보러 나가겠다고 소리를 질러대자 경찰에 연락을 취했다고 한다.

술에 취해 잠실종합운동장 부근에 쓰러져 있는 할아버지를 119구급차량이 출동하여 병원에 데려왔다고 하는데, 작은 체구에 깨끗한 차림으로 보아 어떤 모임에 참석했다가 술이 과했던 것 같았다. 지갑 속의 주민등록증을 보고 관할 파출소로 연락하여 "많이 다쳤으니 급히 병원으로 오거나 가족이 있는지 여부를 알아봐 달라."고 부탁을 했다. 관할 파출소에서 할아버지 가족들에게 연락을 했고, 할머니와 아들이 병원으로 달려와서 치료를 받게 했다.

사건 처리를 끝내자마자 대치동 주택가에 술 취한 사람이 쓰러져 있다는 신고가 들어왔지만, 그 구역은 다른 순찰차량이 처리하기로 했다. 불쾌지수가 높은 여름일수록 지구대나 파출소에서 근무하는 경찰관들은 더욱 긴장하게 마련이다. 밤늦게까지 술을 마시다 취해서 쓰러지거나 시비가 붙어 형사 입건되는 일이 훨씬 많기 때문이다.

강남구 삼성역 3번 출구에서 도난당한 카드를 쓰고 있다는 신고가 들어왔다. 언뜻 '아리랑치기'범이라는 생각이 들었다. 술에 취해 쓰러져 있는 피해자를 보고 범인이 도와주는 척하면서 주머니 속에 있는 지갑을 훔쳐가는 수법을 말한다.

범인은 일정한 직업이 없는 28세의 청년. 서너 달 전 군에서 제대를 하고 나서 아직 직장을 구하지 못했다고 한다. 자신의 말로는 아버지는 일찍 돌아가셨고, 10살이 되던 해 재혼해 간 어머니는 연락이 되지 않는다고 했다.

친가나 외가는 물론 일가친척 하나 없는 고아라고 했다. 혹시 동정을 사기 위해 거짓말을 하는지는 몰라도 그렇다고 형사 입건시키지 않을 수 없다. 청년은 훔친 지갑 속에 있던 현금 10만 원과 카드를 사용하여 안마시술소에서 성행위를 했다고 자백했다.

훔친 카드로 30만 원 상당 결제가 되면서 피해자의 핸드폰에 결제 사실이 문자로 떴다. 술에 취해 쓰러져 있던 피해자는 술이 깰 무렵 문자를 보고 지갑과 카드가 없어졌다고 신고를 했던 것이다. 현장에 출동하여 지갑을 훔친 범인과 성행위를 한 상대방, 업주를 형사 입건시켰다. 현장에서 썼던 콘돔을 비롯한 성행위 도구 등은 증거로 압수했다.

어느새 날이 훤하게 밝아온다. 오가는 사람들의 발길도 바쁘게 움직인다. 새벽기도 가는 사람, 신문배달 하는 사람, 아침운동을 하기 위해 나서는 사람들이 보이기 시작했다. 그때 편의점에서 손님끼리 싸움을 하고 있다는 신고가 접수되었다.

헬스클럽 관장인 김훈태는 45세로 아직 미혼이다. 그는 일이 끝나는 새벽 5시부터 직원과 편의점 앞 탁자에서 술을 마셨는데, 둘이서 소주 5병을 비우고 취했다. 아침 8시경 담배를 입에 물고 라이터를 사러 오는 20대 후반의 최성민에게 시비를 걸었다.

"요즘 젊은 놈들은 싸가지가 없어."

김훈태가 먼저 욕설을 내뱉었고, 기분이 나빠진 최성민이 똑바로 쳐다보자 미안하다고 했던 모양이다. 라이터를 사서 나가는 모습을 보고 다시 뭐라고 입을 대자 시비가 붙어 마침내 싸우게 되었던 것이다.

결국 112신고가 들어와 현장에 출동하였다. 그런데 김훈태의 근육이 예사롭지 않았다. 윗옷을 벗은 채 싸우려고 하는데 힘으로는 제압이 되지 않았다. 생각해 보라, 헬스클럽 관장의 단련된 근육을.

현장에서 해결하기보다 당사자들을 지혜롭게 지구대로 연행했다. 지구대에 와서야 김훈태는 최성민에게 자신의 잘못을 빌기 시작했다. 사과를 받아낸 최성민의 "사과를 받아들이겠다."는 말과 함께 사건을 마무리 지을 수 있었다.

마침내 야간근무를 마치고 교대시간이 다가왔다. 아침을 먹는데 모래알을 씹는 기분이다. 밥알이 겉돌고 목구멍으로 넘어가지 않는다. 잠을 자지 못하고 뜬 눈으로 새우다 보니 하늘이 노랗게 보인다. 거의 매번 야간 근무 날이면 순찰차 다섯 대가 거의 같은 건수로 사건을 처리한다. 이보다 훨씬 많이 처리할 때도 비일비재한 것이 현장 경찰의 일상이다.

서울 강남, 학원이 제일 많고 유흥가는 별로 없다는데도 이렇다. 그렇다 면 유흥업소나 술집과 음식점이 밀집되어 있는 관할 지구대라면 어떨까? 밤이면 밤마다 난리도 그런 난리가 없다.

그래서 야간근무를 하는 날이면 취객과 전쟁을 벌이며 몸을 혹사한다. 경찰의 야간근무가 똑 같은 게 아니다. 이런 식으로 현장에서 술꾼들과 씨 름하는 경찰관들은 "야간근무 때문에 훨씬 빨리 사망한다."고 의료공단 담 당자가 이야기하기도 했다. 퇴직하고 10년을 못 넘긴다나! 이런 나날들이 현장 경찰관들의 일상이라는 게 서글프다.

# 현명한 술꾼, 어둔한 주당

술에 취해 사건이 발생하더라도 순간순간 지혜롭게 잘 대처하는 사람도 있다. 스물일곱 살의 이경석 씨가 그런 경우다. 나이는 어리지만 행동은 현명했던 셈이다. 그는 지난 달 원하던 직장인 H기업 입사시험에 어렵게 합격하여, 일주일 후면 출근할 예정이었다.

그는 어제 친구들과 술을 마시다 시비가 붙었다. 째려본다는 이유로 옆 테이블에 있던 송민도 군에게 갑자기 화풀이를 했다.

나이가 동갑인 송민도의 얼굴을 주먹으로 쳐서 안경이 땅에 떨어지자 발로 밟아 버렸다. 안경이 깨지고 얼굴에 약간의 상처까지 났다. 자칫 큰 싸움판이 될 수도 있었다.

마침 그때 편의점 주인이 112신고를 해주었다. 현장에 도착하여 판단해 볼 때 사건 처리를 해야 하는 상황이었다. 관련자들을 지구대로 임의 동행해 왔다. 그러자 정신을 차린 이경석은 지금까지와는 180도 바뀐 태도를 보였다.

무조건 자신에게 잘못이 있다고 사과부터 하고, 모든 피해에 대한 보상을 해주겠다며 피해자에게 매달렸다. 이경석의 친구도 적극적으로 해결하려고 노력했다. 우선 안경 값이나 얼굴의 상처 부위에 대해 보상해줄 테니 합의해 달라며 사정을 했다.

피해자인 송민도가 당장 해결하라고 요구하자 이경석은 금방 친구들에게 돈을 빌려 일부를 변상해주고 며칠 내로 남은 치료비를 해결해 주겠다며 매달렸다. 꼭 약속을 지키겠다는 합의서와 함께 피해자가 원하는 대로 각서도 썼다. 원만하게 합의가 되었고, 피해자가 처벌을 원치 않는다고 하여 훈방조치를 해주었다.

만약 그 사건으로 경찰서에 인계되었다면 어떻게 되었을까?

폭력 전과前科 외에도 꽤 많은 벌금이 나왔을 것이다. 벌금을 떼먹었다는 소리는 아직까지 듣지 못했다. 그렇다면 당연히 벌금을 내야 한다는 말이다. 만약 벌금 낼 돈이 없다면 강제 노역에 처해진다.

전과자가 되지 않고 벌금도 내지 않으려면 싸우지 않는 게 가장 좋다. 이미 일이 벌어진 경우라면 순간순간 잘 대처해서 경찰서로 넘어가기 전에 해결하는 게 최상이다. 술 취한 사람들은 대부분 객기만 부릴 줄 알지, 일 처리를 신속하게 잘하지 못한다. 그래서 현행범으로 체포되어 벌을 받는 안타까운 일이 발생한다.


주연홍 씨도 술버릇이 나쁜 게 흠이다. 평소에는 그렇지 않다가 술만 들어가면 나쁜 버릇이 나왔다. 두어 달 전 사건도 그랬다. 주연홍은 술에 취해 택시를 타고 집으로 오던 중이었다. 목적지에 내려 곧바로 집으로 들어갔더라면 좋았을 텐데, 그놈의 나쁜 술버릇 때문에 요금 문제로 택시기사와 시비가 붙었다.

목적지를 빙빙 돌아서 왔기 때문에 평소보다 요금이 많이 나왔다는 것이다. 택시기사는 교대시간이 다 되었다며 요금을 포기한다는 말과 함께 그냥 가버렸다. 그러자 현장에 출동한 경찰관에게 시비를 걸었다.

112 순찰차량에는 카메라나 녹음기 같은 '채증장비'가 다 갖추어져 있어 언제든지 채증採證을 할 수 있다. 술에 취한 그는 경찰관에게 육두문자를 섞어가며 욕을 하고 순찰차량 선바이저를 부수어 버렸다. 그때 다른 경찰관이 주연홍의 행동을 동영상으로 촬영해두었다. 사건 처리를 하면서 당연히 증거자료로 제출했다.

얼마 전 동료 경찰관의 휴대전화로 검찰에서 보낸 문자 메시지가 왔다. 주연홍에 대해 모욕죄로 200만 원, 공용물을 손괴한 죄로 200만 원, 합계 400만 원의 벌금이 부과되었다는 내용이었다. 요즘 검찰청에서는 사건처리 결과를 피해자에게 통보해준다. 그래서 그 결과도 알 수 있었다.


마흔세 살의 배종용 씨. 그는 지난여름 어느 날, 새벽까지 술을 마시고 취한 채 편의점 파라솔 아래 쓰러져서 잠이 들었다. 시간대로 봐서는 아마 새벽 2~3시가 되었을 것 같다. 편의점 종업원의 신고로 경찰이 출동해서 그를 깨웠다. 그때부터 그의 나쁜 술버릇은 시작되었다. 잠에서 깨어난 배종용은 출동한 경찰관에게 욕부터 해댔다. 정년을 몇 년 남기지 않은 경찰관이 영문도 모른 채 된통 당했다.

"야! 이 XX야! 내 핸드폰 빨리 찾아내!"

배종용은 무턱대고 고함을 지르기 시작했다.

"핸드폰을 어디다 두고 찾아내라는 겁니까?"

경찰관이 되물었지만, 사실 어디서 핸드폰을 잃어버렸는지, 아니면 자고 있을 때 누가 가져갔는지 그 자신도 몰랐다. 부근 편의점의 CCTV는 도난을 방지하기 위해 가게 안에 설치해 두지만, 바깥은 필요가 없어서 설치하지 않는다.

처음에는 한 번 욕을 듣고도 '술에 취하면 개가 되는 거지?'라는 생각에 못 들은 것처럼 넘어갔다. 그런데 이 친구 갈수록 더했다. 지나가는 사람들도 안 됐다는 표정을 지으며 절레절레 머리를 흔들었다.

이대로는 안 되겠다는 생각에 편의점에서 라면을 먹으며 사건을 지켜보던 사람들에게 진술서를 받았다. 그리고 그를 모욕죄로 체포했다.

제 버릇을 남 주랴? 그는 경찰서 형사계에서도 소란을 피웠다. 술기운이 남아 있었던 것이다.

두어 시간 경찰서 조사를 마친 다음 다시 파출소에 들러서 또 한 바탕 소란을 피우고 나서 돌아갔다.

며칠 후에 그가 정장을 하고 파출소로 찾아왔다. 큰 죄를 지었다며 싹싹 빌었다. 버스 지나간 다음에 손들기 식이다.

그는 술이 깬 다음 여러 사람들로부터 자신의 잘못을 전해 듣고 후회를 했던 모양이다. 그 역시도 많은 벌금이 나올 것이다. 알고 보니 직장도 시원찮았고 벌이도 별로 없었다. 술버릇 때문에 아내와 이혼하고 나이든 부모와 함께 어렵게 살고 있었다.

술을 좋아하여 즐겨 마시는 것도 좋지만 이런 술주정과 객기는 그야말로 백해무익이다.

삶이 팍팍하고 경기가 어렵다고 아우성이요, 부지런히 움직여도 먹고 살기 힘들다고 하는 판에 벌금으로 목돈이 나가면 기분 좋을 사람이 어디 있을까. 그것도 나쁜 술버릇 때문에 말이다.

대부분의 사람들이 잠든 밤이다. 그런데도 누군가는 술에 취해 형사 입건이 되고 아까운 벌금을 내는 불상사가 일어나고 있다.

"순간의 선택이 10년을 좌우합니다."라는 광고 문안도 있지만, 술을 마시고 나서 실수를 했을 때 순간순간의 대처가 중요하다는 것은 두말 할 나위도 없다.

무엇보다도 사건으로 비화하기 전에 마무리를 하는 것이 최선책이고 현명한 대처법이다.

안타깝지만 술주정으로 소란을 피우고 객기를 부리다가 괜한 처벌을 받거나 벌금을 부담하는 경우도 허다하다.

# 알코올 중독자들이 증가하고 있다

알코올 중독은 개인은 물론 가정이나 사회, 국가에도 불행한 일이다.

"알코올 중독자가 난동을 부립니다. 출동해 주세요."

한겨울 밤, 대부분의 사람들이 잠들어 있을 시간인 새벽 3시가 지날 무렵, 신고가 접수되었다. 신고를 받고 '알코올 중독자'가 흉기를 들고 난동을 부리는 줄 알았다. 50대 중반으로 한 가정의 가장인 안종철 씨의 아내와 아들이 구급차가 도착하기 전에 경찰을 요청했던 것이다.

안 씨는 매일 술에 절어 살았던 모양이다. 보다 못한 아내와 아들은 그를 정신병원에 입원시키기로 했다고 한다. 그것도 모르고 안 씨는 출동한 우리를 보고 "경찰이 무슨 일로 왜 왔느냐?"고 소리를 지르며 시비를 걸었다. 안 씨의 아내는 병원에 입원을 시켜서라도 술을 끊게 해야겠다고 말했다. 새삼 술이나 담배에 중독되면 끊기가 얼마나 힘이 드는지 알만 했다.

우리가 출동하고 나서 119 구급차량이 도착했다. 안씨는 119대원들을 보더니 "병원에 가지 않겠다."고 소리쳤다.

"병원에 입원하는 것이 아니에요. 나하고 술 한 잔 더하러 갑시다."

그의 아내가 이렇게 타이르자 "그래, 같이 가서 한 잔 더하자."고 하며 금세 일어섰다. 그런데 일어서던 안 씨가 그 자리에서 비틀거리다 곧 쓰러지고 말았다. 아들과 아내, 구급대원들이 부축을 하여 구급차량에 태웠다.

병원에 도착하여 그의 아내가 인적사항을 기록했다. 이름 안종철, 나이 54세…일정한 직업이 없고, 2년 전 사업이 부도난 이후 술로 세월을 보내고 있다. 안 씨가 아무런 사회활동도 하지 못하자 그의 아내가 파출부 일을 하며 가정을 꾸리고 있다고 한다. 그녀는 남편의 폭언과 폭행이 너무 힘들어 이혼 신청을 해놓은 상태였다.

알코올 중독은 어느 날 갑자기 시작되는 것은 아니다. 매일 마시는 술버릇은 습관이 된다. 그는 술에 취해 가끔 파출소에도 찾아왔던 사람이다. 시비를 걸어온 적도 있고 행패를 부리기도 했다. 안 씨의 술버릇도 중독이 되어 습관이 된 것이다. 최근 건강이 나빠지자 오히려 술 없이는 하루도 못 살만큼 더 마신다고 한다.

그의 아내와 아들은 이대로 두어서는 안 되겠다는 판단이 섰을 것이다. 가족들은 병원비가 만만치 않기 때문에 개인병원에 입원시키는 것을 꺼린다. 병원비 때문에 입원하지 못하고 있는 알코올 중독자도 상당히 많을 듯하다.

안 씨는 커다란 체구에 속옷도 아무렇게나 나와 있고, 신발도 없이 양말만 신은 채 술에 취해 있었다. 복수 때문인지 배가 불룩하고 눈에는 황달기도 있었다. 푸석푸석한 얼굴에 색깔도 까무잡잡하다. 매일 술에 취해 아내와 자식에게 못살게 구는 가장을 잘 먹일 일도 없을 것이다. 아내가 없는 틈에 술을 마셔대니 안주를 챙겨주는 사람도 없을 테고, 식사도 잘 챙겨 먹지 못한 것 같았다.

몇 달 전에는 알코올 중독자인 남편 앞으로 생명보험을 들어두고 베란

다에서 떠밀어버린 사건도 일어났다. 알코올 중독의 폐해는 개인과 가정 뿐만 아니라 우리 사회와 국가에도 어두운 그림자를 만든다.

한양대 정 민 교수는 일간지에 '지나친 음주가 가져오는 여섯 가지 폐단(음주육폐飮酒六弊)'에 대한 글을 기고한 바 있다(2013년 6월 12일 조선일보). 명나라 때 사조제謝肇淛가 쓴 〈문해피사文海披沙〉에 나오는 내용이라고 한다.

첫째, 치신治身, 즉 몸가짐상의 '패덕상의敗德喪儀'. 평소에 쌓아온 덕을 무너뜨리고, 점잖던 거동을 잃게 만든다. 술 취한 개라더니 체면이 영 말씀이 아니다.

둘째는 대인待人상의 '기쟁생흔起爭生釁'. 없어도 될 다툼을 일으키고, 공연한 사단을 부르는 것이 다 술기운을 못 이긴 탓이다.

셋째, 위학爲學상의 '폐시실사廢時失事'. 공부에 힘 쏟아야 할 젊은이들이 때를 놓치고 할 일을 잃게 만드는 원흉이 술이다.

넷째, 치가治家에 있어 '초도생간招盜生姦'. 가장이 늘 취해 정신을 못 차리거나 걸핏하면 폭력을 휘두르니 그 틈에 도둑이 들고, 간특한 일이 벌어진다.

다섯째, 임민臨民, 즉 관리가 백성을 다스림에 있어 '손위실중損威失重'. 관장官長이 직임은 거들떠보지 않고 술 취해 추태를 일삼으니 위엄은 손상되고 무거움이 사라진다.

여섯째, 위정爲政상의 '전도착란顚倒錯亂'. 책임자가 앞으로 고꾸라지는지 뒤로 자빠지는지도 분간을 못 하니, 하는 일마다 뒤죽박죽 엉망진창이 된다.

앞의 네 가지는 자신과 집안에 생기는 문제이고, 뒤의 두 가지는 나라에 누를 끼치는 망동妄動이다. 그는 또 술은 '고한고객苦寒孤客'이나 '수금죄인囚禁罪人'이 마시는 것이라고 했다. 술이라도 마시지 않으면 가슴속에 쌓인 시름을 풀 길이 없는 춥고 괴로운 나그네가 소우消憂하기 위해서, 또 죄를 짓고 갇혀 지내는 사람이 그저 날이나 보내자고 할 때 술을 마시는 것이라고 했다.

사건사고 현장에 출동해보면 대부분은 술이 원인이다. '술을 마시지 않았더라면 이런 일이 발생하지 않았을 텐데' 하고 생각할 때가 많다. 옛날이나 지금이나 술로 인해 자신과 가족은 물론 조직까지도 망신을 당하는 일이 허다하다. 그리고 그 비용 또한 만만치 않다.

청와대 대변인이 나라 망신을 시키더니 엊그제는 촉망받던 야구선수가 음주운전에 뺑소니까지 더하여 추락하는 일이 발생했다. 취중에 폭력을 일삼는다고 경찰관 아버지를 살해한 패륜아들도 있었다. 피해자가 되었건 가해자가 되었건 벌건 대낮에 일어나는 강도와 성범죄도 과한 술 탓으로 발생하기 일쑤다.

이제 국가가 나서서 술과 전쟁을 치러야 할 때가 왔다.

경제협력개발기구(OECD)에 속한 국가의 음주정책 통합지표를 비교분석한 결과, 우리나라의 음주정책 강도는 OECD 국가 30개국 중 22위에 머물러 있다. 이 통합지표는 주류 판매 제한 연령, 음주운전 기준 알코올 농도, 주류 가격, 주류세를 포함하고 있다.

세계에서 술 소비량 1위를 할 수밖에 없는 상황을 수치로 말해주는 지표라고 하겠다.

# 누구라도 알코올 중독에 빠질 수 있다

"술은 어른들께 잘 배워야 한다."

성장하면서 참 많이 듣던 말이다.

술을 잘 마시는 사람과 같이 마셔보면 금세 느낄 수 있다. 그들은 폭음보다는 대화를 많이 하면서 분위기를 즐길 줄 안다. 자신의 음주량을 최대한 지키려고 애쓰면서 상대를 배려하려고 노력한다.

반면 술을 잘못 배운 사람과 술을 마시면 항상 긴장이 된다. "술은 빨리 취하기 위해 마시는 것"이라고 하면서 폭탄주로 시작한다. 폭탄주로 시작하면 훨씬 빨리 취한다.

문화심리학자 김정운 교수는 자신의 글에서 한국인들이 폭탄주를 좋아하는 것은 "서로 할 얘기가 없어서, 멀뚱멀뚱 마주보기가 두려워서, 그 황당한 상황을 견디기가 너무 힘들어서"라고 분석했다.

그래서 그런지는 몰라도 앉자마자 폭탄주를 만들어 돌린 다음 "원샷!"을 외치며 빨리 술잔을 비우라고 재촉한다. 이렇게 급하게 마신 술은 반드시 탈이 난다. 사람이 술을 마시지만 술이 술을 마시고 마침내 술이 사람을 마시는 형국이 되고 만다.

물론 술은 서먹서먹한 분위기를 돌려놓거나 혈액순환에 도움이 되는 긍정적인 측면도 있고 와인 한두 잔은 건강에 좋다고 말하는 사람도 있다. 그런데 문제는 어떤 술이 되었건 많이 마시면 결국 취하게 마련이라는 것이다.

취하면 틀림없이 실수를 하게 되고, 평소 상사나 동료들에게 불만이라도 품고 있다면 폭발하는 건 시간문제다. 결국 회식 분위기를 망치고 만다. 상사는 분위기를 망친 사람의 이미지를 오랫동안 기억할 테고, 실수한 술꾼에게 불이익이 돌아가는 건 불을 보듯 뻔하다.

그래서 직장 선배들은 회식할 때 특히 언행을 조심해야 한다고 했다.

"회식 때 마시는 술을 특히 조심하라."

이 말은 회식 때 술을 마신 다음에 그 사람의 됨됨이가 겉으로 드러날 뿐만 아니라 술 마신 후의 언행으로 그 사람을 평가한다는 뜻이기도 하다.

외국의 취업시험에서는 수험생들과 합숙을 하면서 술을 마시게 하고 자제력을 보는 것으로 면접시험을 치르는 경우도 있다고 한다.

직장에서도 술에 취하면 주사酒肆를 부리는 사람이 있다.

상사에게 따지듯 막말을 하는 사람, 아무에게나 버릇없이 구는 사람, 취해서 잠이 드는 사람도 있다. 했던 말을 다시 하며 밤새 떠드는 사람이 있는가 하면 울음보따리가 풀어진 것처럼 펑펑 우는 사람도 있다. 심지어 상가에서 노래를 부르는 사람도 있다. 아무한테나 시비를 하며 폭력을 휘두르는 사람도 있다.

이처럼 술에 취한 사람에게서는 좋은 면보다는 나쁜 모습이 훨씬 더 잘 보인다.

이주한은 42세로 중견 회사원이다. 술에 취해 직장 상사에게 바른 소리를 한다며 따지듯이 막말을 하다 다른 부서로 발령이 났다. 평소 내근 부서에서 일해 왔는데, 영업부서로 발령이 나자 영업을 이유로 자연스럽게 술을 자주 마시게 되었다.

나쁜 술버릇은 술을 자주 마실수록 늘어갔다. 그런데도 탁월한 영업실적 덕분에 지사장으로 승진 발령이 났다. 많은 사람들을 만나면서 술자리는 더 늘어만 갔다. 낯선 사람들을 상대로 영업을 하다 보니 그들이 즐겨마시는 양주나 폭탄주도 즐겨 마셨다.

이주한은 차츰차츰 알코올에 중독되어 갔다. 마침내 술에 취해 업무를 잘 처리하지 못하는 상황이 발생하기도 했다. 그런데도 술을 더 많이 찾게되었고 술기운으로 일을 망치는 악순환도 더욱 잦아졌다.

어느 날 부부 동반 모임에 참석하고 오던 중에 음주 운전으로 사고가 발생했다. 다행히 큰 사고는 아니었지만 얼굴에 흉터가 남는 사고였다. 회사에서 그의 음주 습관을 알고 대기발령이 났다. 대기발령이 나서도 그의 음주 습관은 변하지 않았다.

급기야 가족들은 그를 병원에 입원시켜 치료를 받게 했다. 병원에서 치료를 받으면서도 몰래 술을 마실 정도로 이주한은 중독이 심각했다. 입원과 퇴원을 반복했지만 알코올 중독 증세를 끊지 못하고 결국 폐인이 되었다.


임효주가 쓴 『어느 알코올 중독자의 죽음』이라는 책이 있다.

지방 명문 고등학교를 졸업하고 서울의 명문 대학교를 나와 직장생활을 하던 중 알코올 중독자가 된 저자의 실화다. 이 책은 우리나라 알코올 중독자의 일상을 잘 나타내 주었다.

저자의 나쁜 술버릇은 고등학교 때부터 시작되었다. 그는 대학에 입학

하고 나서도 술을 많이 마셨다. 군에 입대해서부터 잘못들인 술버릇은 결국 사회생활에까지 이어진다. 어렵게 직장에 취직하여 근무를 하면서도 술에 절어 사는 인생이 된다.

결국 직장생활도 제대로 하지 못한 채 사표를 쓰고 치료에 나섰지만 알코올 중독에서 벗어나지 못했다. 그 자신과 가족들의 눈물겨운 노력 덕분에 마침내 그는 단주에 성공한다. 아내와 가족, 가까운 이웃들의 헌신적인 노력이 중요하다는 것을 강조하고 있다.

저자 임효주는 종교생활에 심취하여 목회 활동을 하며 살아가고 있다. 책을 읽는 내내 '중독'이 얼마나 무섭고 고통스러운지 느낄 수 있게 해준다.

알코올 중독 말고도 게임 중독, 마약 중독, 도박 중독 등 갖가지 중독이 있다. 중독의 공통점은 한 결 같이 벗어나기가 무척 힘들다는 것이다.

보건복지부 등에 따르면 알코올, 인터넷, 도박, 약물 등 4대 중독의 경우, 우리나라의 중독자 수는 약 618만 명으로 국민 8명당 1명꼴로 매우 높은 편이다. 구체적으로 알코올 중독자는 155만 명, 인터넷은 233만 명, 도박은 220만 명, 약물 중독은 10만 명에 이른다고 한다.

중독의 고통은 본인이나 가족이 되어 보지 않고는 모른다. 저자는 알코올 중독에 벗어나지 못해 비참한 나날을 보냈다. 가족은 가족대로 고통 속에서 살아야 했다.

"알코올 중독에 오랫동안 노출되면 주변에 남는 사람 하나 없이 모두 떠나가고 만다. 심지어 사랑하는 가족까지도 떠난다."

저자는 이렇게 중독의 위험성을 강조하고 있다.

술 담배를 기호식품이라고 하지만 잘못된 음주 습관으로 알코올에 중독되는 사람들이 많다. 알코올 중독자들은 술에 취해 함부로 시비를 하거나 눈에 아무 것도 보이지 않는 듯이 심각한 행동을 하기 일쑤다.

알코올 치료는 개인이나 가족이 고통을 부담하기엔 한계가 있다. 술을 만드는 회사는 물론이고 지방자치단체와 국가도 발 벗고 예방과 치료를 위해 나서야 한다.

청소년들의 알코올 접근을 막고 과도하게 술에 취하는 사람이 발생하지 않도록 주류 판매 시간을 제한하며 음주 운전 단속 강화, 주점 내에서의 금연 등으로 건전한 음주문화가 정착될 수 있는 정책을 마련하는 것도 필요하다.

가끔 112 신고를 받고 현장에 출동해 보면 낯익은 사람이 술에 취해 있는 것을 보게 될 때도 있다. 거의 매일 술에 취해 있는 알코올 중독자들이다. 외모에서부터 알코올 중독자라는 것을 알 수 있다.

어제까지 마신 술기운이 채 가시지 않은 듯 흐린 눈동자, 검붉은 얼굴에 피곤이 역력한 표정, 새까맣고 푸석푸석한 얼굴, 황달기가 있는 눈, 볼록한 개구리 배는 보는 사람으로 하여금 안타까움을 금할 수 없게 한다. 술에 취해 쓰러져 있거나 횡설수설하는 사람들도 부지기수다.

그들 중 대부분은 아직 알코올 중독에는 미치지 않은 상태지만 알코올 의존증에 가까운 사람들이다. 단주 의지가 없이 계속 술을 마신다면 알코올 중독자로 되는 건 시간문제다.

# 범죄의 표적이 되는 여성음주

술에 취한 여성들이 범죄의 대상으로 훨씬 취약할 수밖에 없다. 특히 범죄꾼들은 술에 취한 여성들을 노리게 마련이다.

여름철에는 술에 취해 밤늦게 귀가하는 사람들을 대상으로 한 범죄가 많이 발생하는데, 남성보다는 여성이 훨씬 더 위험하다. 따라서 범죄로부터 자신을 지키려는 의지가 필요하다.

2013년 5월 말경 대구에 살고 있는 여대생이 술에 취해 택시를 타고 가다 성폭행을 당한 후 무참히 살해당한 사건이 발생했다.

이 여대생은 아르바이트를 마치고 아는 언니들과 함께 맥주와 칵테일을 4시간가량 마셨다고 한다. 아는 언니들이 헤어지면서 여대생을 택시 뒷좌석에 태워 집으로 보내주었다고 한다. 그렇게 헤어진 후 여대생과 연락이 닿지 않자 가족들은 관할 지구대에 실종신고를 냈다. 그런 다음날 여대생은 경주의 한 저수지에서 변사체로 떠올랐다.

여대생은 안면부에 심한 폭행을 당한 흔적이 남아 있었고 하의가 벗겨진 채 성폭행을 당했다고 경찰은 밝혔다.

당초 유력한 용의자로 택시기사를 지목하고 수사를 벌였다. 그런데 생각과는 달리 범인은 택시기사가 아니었다.

경찰 수사결과 범인은 대구 지하철역에서 근무하고 있는 공익요원이었다. 여대생과 같이 술을 마셨던 범인은 택시가 신호대기로 정지해 있는 것을 발견하고 뒤따라가 남자 친구 행세를 하며 함께 승차했다고 한다.

범인은 술 취한 여대생을 자신의 원룸으로 데려가서 성폭행하고 피해자가 반항하자 무참히 살해한 다음 저수지에 유기했던 것이다.

종종 여성이 술에 취해 쓰러져 있다는 신고가 접수되곤 한다. 술에 취해 있는 여성들은 항상 범죄꾼들의 표적이 된다. 대구의 여대생이 화를 당한 것도 술 때문이라고 생각하니 안타깝기 그지없다.


술은 이성을 잃게 만든다. 술에 취해 이성을 잃고 정신 줄을 놓으면 앞뒤 분간을 하지 못한다. 이렇게 판단이 흐려지면 동기생도 친구도 눈에 보이지 않는다.

불과 2년 전, 세 남학생과 한 여학생이 일행인 서울의 유명대학 의대생 4명이 여행을 갔다. 민박집을 빌려 회식을 하며 술을 마시고 잔뜩 취했다.

여학생이 술에 취해 쓰러져 있는 것을 남학생들이 성추행을 하고 핸드폰으로 사진 촬영까지 하는 황당한 사건이 발생했다. 피해 여학생의 고소로 가해 학생들은 학교에서 퇴출되고 감옥으로 가야 했다.

이 사건도 원인은 술이다. 술에 취했다는 사실이 면죄부가 될 수는 없는 것이다. 술에 취한 학생들이 순간적으로 이성을 잃고 저지른 범행일지라도 대가는 혹독하다.

2013년 5월 말경, 명예를 목숨처럼 중시하는 육군사관학교에서 성폭행 사건이 일어났다. 생도의 날, 축제행사 때 지도교수와 생도들이 술을 마시고 일으킨 사건이었다.

이날 오전, 운동회를 마치고 교수와 생도 20여 명이 소주와 맥주를 섞은 '폭탄주'를 돌려 마셨다. 이때 술에 약한 2학년 여생도가 독한 폭탄주를 이기지 못해 구토를 반복하자 교수가 여자 생도를 생활관으로 데려가서 훈육관에게 인계했다.

이후 함께 마시던 4학년 남자 생도가 여자 생도를 자신의 숙소로 데려가 성폭행을 저질렀다. 육사 개교 이래 초유의 일이라며 난리가 났다.

급기야 육군사관학교 교장이 옷을 벗고 해당 교수를 비롯한 많은 사람들이 무더기로 징계처분을 당하거나 징역을 갔다.

한 마디로 술이 원인이었다.

술에 약한 여성이 술을 마시고 피해를 입는 전형적인 사건이기도 하다. 어디서나 술에 약한 여성들이 술을 마시면 범죄의 표적이 되거나. 범죄꾼들의 먹잇감이 되기 십상이다.

술에 취해서 이성적 판단이 흐려졌기 때문에 선후배라는 사실도 망각한 채 일을 저질렀던 것이다. 어려운 시험 관문을 통과하고 졸업을 1년도 채 남겨놓지 않은 생도들이 한 순간의 실수로 패가망신한 사례다.

술을 마시고 실수하여 인생을 망친 일이 비단 육사 생도뿐이랴? 남녀노소, 지위고하를 막론하고 수많은 사람들이 술 때문에 뜻을 펴지 못하는 경우가 비일비재하다.

술을 마시고 실수하여 인생을 망친다면 너무 억울하지 않은가.


지구대나 파출소에서 근무하다 보면 종종 술 취한 여성들에 대한 신고가 접수된다. 여성이라고 하여 술을 못 마시게 할 수는 없다. 다만 여성들이 범죄로부터 훨씬 취약한 현실만큼은 제대로 인식해야 한다.

현실적으로 술 마신 여성이 더 쉽게 범죄의 위험에 노출될 수 있다. 아무리 치안이 잘되어 있다 하더라도 개개인의 위험은 스스로 예방하는 것이 최우선이다. 경찰의 책임은 그 다음이라고 할 수 있다.

특히 술이 사건사고의 중요한 원인이라면 술 취하지 않는 습관이 범죄의 위험으로부터 자기 자신의 안전을 지키는 길이라고 하겠다. 술을 마시고 이성을 잃어 숱한 강력사건이 일어난 것을 보면 술이 범죄를 키웠다고 해도 지나친 말이 아니다.

 **범죄를 키우는 술, 성폭행의 40%가 술 때문**

헤럴드경제신문 2013년 11월 27일자 김기훈 기자의 〈성폭행 40%가 취해서……술이 범죄를 키운다〉의 기사 내용을 살펴보자.

지난 5년간 술에 취한 상태에서 발생하는 강간, 강제추행 범죄가 무려 83% 증가한 것으로 나타났다. 특히 강간, 강제 추행 사건 10건 가운데 4건은 술에 취한 상태에서 저질러질 정도로 음주와 범죄는 강한 상관관계를 보이고 있으며 날로 흉폭화 되고 있는 것으로 분석됐다.

경찰청에 따르면 주취 상태에서 강간은 2007년 3192건, 2010년 5275건으로 매년 늘고 있으며 지난해 발생한 강간, 강제추행 18만12건 가운데 42.1%는 음주와 연관성을 보였다. 살인·강도·강간·방화 등 4대 강력범죄 가운데 주취자에 의한 범죄는 2007년 5020건, 2008년 5227건, 2009년 5747건, 2010년 7335건, 2011년 7337건으로 역시 매년 증가하다 2012년에 7230건으로 조금 떨어졌다.

이해국 가톨릭의대 교수는 "알코올은 감정을 통제하는 뇌의 전두엽 기능을 저해시켜 강간 등 범죄 충동과 밀접한 연관을 갖는다."고 설명했다. 이 교수는 "20~30대 여성의 음주율 급증도 역시 성범죄에 노출될 우려가 높다는 점에서 범죄 증가에 영향을 미칠 수 있다."고 분석했다. 한국음주문화연구센터에 따르면 체중 65킬로인 성인 남성이 소주 10잔 가량을 마실 경우 혈중 알코올 농도는 0.1~0.15% 상태가 되며 이성적 행동조절이 어렵고 폭력성과 가학성이 극대화하는 것으로 나타났다.

살인 사건을 보더라도 음주가 살인동기 부여에 큰 영향을 미치는 것으로 조사됐다. 2012년 주취 상태의 살인 범죄는 132건으로 전체의 29.6%를 차지했으며 살인 미수의 경우 전체 610건 가운데 주취상태가 290건으로 무려 47.5%에 달했다. 2명 가운데 1명이 술에 취한 상태에서 살인을 기도한 셈이다.

경찰청 관계자는 충동적이고 폭력적인 범죄는 음주와 상관관계가 크고, "술에 취해 저지른 범죄가 날로 흉폭화 되고 있어 이에 대한 엄격한 법적용이 필요하다."고 지적했다. 이해국 교수는 음주로 인한 범죄 등 사고를 예방하기 위해선 "다중이용시설 등 공공장소에서 음주를 제한하는 등 맞춤형 전략이 필요"하고, "보다 근본적으로는 상습 주취 범죄자에 대한 치료를 병행하는 의무치료명령제를 도입해야 한다."고 강조했다.

# 여성 음주, 인구는 늘어나고 나이는 젊어지고

술을 즐겨 마시는 여성들이 증가하고 있는 까닭은 뭘까?

여성의 지위가 향상되고 사회활동 인구가 늘어났기 때문이라고 하는 설명도 틀리지는 않을 것이다. 어쨌건 택시기사들이 술 취한 여성들과의 시비로 지구대나 파출소에 신고를 해오는 일이 점점 많아지는 것을 보면 여성 술꾼의 증가를 실감할 수 있다.

택시를 타고 와서 요금을 지불하지 않는다, 술에 취해 쓰러져 있다, 가족과 연락이 잘되지 않는다, 한참 전에 들어온다고 했는데 여태 귀가하지 않고 있다……대부분 술에 취해서 일어나고 있는 이런 신고 내용은 남녀 간에 별반 다르지 않다.

서른여섯 살의 골드미스 최미라 씨는 요즘 들어 술이 부쩍 늘었다. 주로 회사 업무를 핑계로 삼지만, 종종 스스로 좋아서 마시기도 한다.

술을 자주 마시고 때로는 많이 마시다 보니 가끔 실수하는 일도 생겨났다. 친구들은 이미 대부분 결혼을 하고 막바지로 연락이 오가는데 아직 결혼할 생각도 못하고 있다.

일하느라 그런다고 둘러대지만 정작 그녀의 술버릇이 문제였다.

택시기사의 신고가 들어왔다.

강남구 일원동 대청역 3번 출구인데, 택시에서 손님이 일어나지 않는다는 것이다. 자정이 다 되어 가는 시간이다. 현장에 출동해 보니 여자 승객이 술에 취해 택시 뒷좌석에 머리를 처박고 있었다. 택시 안은 역겨운 술 냄새로 숨이 막혔다.

"여자 승객이라서 흔들어 깨울 수가 없었어요."

택시기사의 고백이 아니더라도 행여나 성 추행범이라는 엉뚱한 오해라도 받을까 봐서다. 여자 승객뿐만 아니라 남자 승객이라도 흔들어 깨우기는 싫을 것이다.

그래서일까. 거의 매일 밤 택시기사들은 술 취한 손님과 시비가 붙으면 경찰에 신고부터 한다. 대부분 요금 문제고, 곯아떨어져 일어나지 않거나 손님이 자기 집을 못 찾는 경우도 있다.

"택시기사들도 요즘은 참 편하게 영업을 하는구나!"

택시기사들이 112 신고를 하여 승객을 깨워달라고 하면, 신고 현장으로 출동하면서 이런 생각이 들 때도 있다. 112 신고만 하면 출동한 경찰관이 택시의 문제를 해결해 주니까.

술에 취해 있는 아가씨를 흔들어 깨웠다. 큰소리와 함께 깨웠더니 금방 일어났다. 부근의 오피스텔이 집이라고 했다.

"괜찮겠어요?"

걱정이 되어 물었지만 상관 말라는 말과 함께 비틀거리며 자신의 오피스텔로 올라갔다.

또 다른 신고 사건이 들어와서 처리하느라 약 30분이 지났다.

그때 A오피스텔 22층에 살고 있는 어떤 남자로부터 연락이 왔다. 어떤 사람이 밖에서 자꾸 현관문을 두드린다는 것이다.

현장으로 출동해보니 조금 전에 택시에서 내려 상관 말라며 오피스텔로 올라갔던 그 아가씨였다.

술에 취한 그녀는 자신의 오피스텔 호수도 잘 몰라서 남의 오피스텔 현관문을 두드리며 초인종을 계속 눌러댔던 것이다.

그러다가 복도에 쓰러져 그대로 잠들어 버린 모양이었다. 가방은 저만치 던져져 있고 짧은 치마를 입은 채 큰대자로 누워서 잠을 자고 있었다.

자신도 모르게 실례를 했을까. 지린내가 진동을 하고 쓰러져 누운 근처에 오줌이 흥건했다.

아무리 흔들어 깨워도 일어날 생각조차 하지 않았다. 물론 그녀가 살고 있는 오피스텔의 열쇠 비밀번호를 알 수도 없었다.

어쩔 수 없어 동료와 함께 그녀를 부축해서 순찰차에 태우고 파출소까지 와서 소파에 앉혔더니 앉은 자리에서 세상모르게 잠이 들었다. 아침 교대시간이 되어 흔들어 깨웠더니 그제야 일어나며 캐물었다.

"내가 어떻게 여기 왔어요?"

물론 조금도 미안해하는 기색은 없다. 전후사정을 말해주자 고맙다는 말 한 마디 없이 투덜거리며 밖으로 나가 버렸다.

물에 빠진 사람 건져주니까 보따리 내놓으라고 한다는 말도 있지만 우리는 자세히 모른다.

가방 안에 소지품은 제대로 들어 있는지, 다른 피해는 없는지 우리는 정말 모른다. 택시에서 내릴 때부터 인사불성이 된 상태였으니까.


2013년 10월 중순, 야간 근무를 할 때였다.

강남구 개포동 삼호물산 앞에서 술 취한 여자 손님과 싸우고 있다는 영업용 택시기사의 신고가 들어왔다. 현장에 출동해 보니 20대 초반의 여성이 술에 취해 횡설수설 하고 있었다.

"돈은 받지 않아도 좋으니 제발 차에서 내려 주세요."

택시기사는 쩔쩔 매고 있는데, 여자 손님은 술을 얼마나 마셨는지 얼굴에 열꽃과 홍조를 띄우고 있었다. 입에서 지독한 술 냄새를 풍기며 몸을 제대로 가누지 못했다. 비밀 잠금장치 때문에 휴대전화조차 작동되지 않았다. 길 가던 사람들이 걱정스러운 듯이 혀를 차며 지나갔다.

순찰차에 태워서 주민등록증에 있는 주소지로 갔지만 다른 사람이 살고 있었다. 할 수 없이 파출소에 연락하여 컴퓨터 조회로 주소를 알아내어 집까지 태워주었다. 알고 보니 직장 동료들로부터 받는 스트레스와 업무에 대한 압박 때문에 술을 많이 마셨다고 한다.

아무리 직장생활이 어렵다고 해도 정신 줄을 놓을 만큼 술을 마시고 다니다 보면 사고가 생길 수 있다.

여성의 사회활동 증가와 더불어 직장에서의 회식 자리가 늘어나고 스트레스를 해소한다는 이유로도 술을 마시게 된다.

문제는 대개의 경우 여성이 남성에 비해 신체적으로 빨리 취한다는 점이다. 또한 술에 취한 여성은 범죄꾼들의 먹잇감이 되기 쉽다. 술에 취해 정신을 잃을 경우 남자보다 범죄에 훨씬 취약하기 때문에 피해도 그만큼 심각하다고 하겠다.

김효주 양은 스물일곱 살이었다.

경기도 분당에서 술이 취해 자신의 차에 남자 친구를 태우고 운전하게 하여 돌아오는 길이었다. 남자 친구는 부모를 잘 만나 그런지 특별한 직업도 없이 대학원에 다니고 있었다. 자주 들르는 술집에서 만난 사이였는데

차를 타고 오다 싸움이 일어났다.

김효주와 남자 친구는 생활환경이나 가치관의 차이 때문인지는 몰라도 만나면 자주 싸웠다. 그날 역시 새벽 시간인데도 싸움을 하다 112 상황실에 강도 신고를 했다.

남자 친구가 운전을 해왔는데도 "모르는 사람한테 강도를 당했다."고 했던 것이다.

새벽 시간에 강도 신고를 받은 경찰은 난리가 났다.

차량으로 이동 중이라는 말에 관할 파출소는 물론이고 인근 지구대와 경찰서까지 비상이 걸렸다. 막상 잡고 보니 김효주가 술에 취해서 허위로 신고했던 해프닝이었다.

김효주의 입에서 나오는 대부분의 말은 시궁창에서 나는 썩은 냄새로 진동을 했다. 말끝마다 듣기가 민망할 만큼 욕이 터져 나왔고, 외모와는 전혀 어울리지 않게 욕설을 해댔다.

아무리 술을 마셨다고 하지만 기본적인 인격이 있을 텐데 출동한 경찰관이나 지나가던 사람들이 모두 혀를 찼다.

가끔씩 술꾼의 황당한 신고가 접수되어 한바탕 소동이 벌어지곤 한다. 술에 취해 이성을 잃으면 남녀노소男女老少 지위고하地位高下가 없다. 모두가 실수한다. 자신을 가누지 못할 정도로 술을 퍼마시고 실수하지 않을 사람이 어디 있으랴.

앞으로도 이런 황당한 신고는 계속될 것이다. 술이 사라지지 않는 한.

# 시각장애인의 음주 소동

동지가 지난 지 이틀 후 새벽 두 시 무렵이다. 시각장애자인 김철곤 씨의 아파트에서 누군가가 유리창과 가재도구를 부수고 있다는 신고가 접수되었다.

신고자는 "철곤 씨 혼자서 유리창을 깨고 있다."고 했지만, 확인하기 전에는 알 수도 없고 신고자의 말을 믿을 수도 없는 일이었다.

유리창 깨지는 날카로운 소리가 밤의 정적을 깨뜨렸다. 야심한 밤이라 가재도구 부서지는 소리도 소름을 돋게 했다. 크게 싸운다고 생각한 이웃 사람들이 잇달아 112 신고를 해댔다.

같은 사건으로 신고가 계속 이어지자 경찰서 지령실에서는 "빨리 출동하여 처리하라"고 독촉을 했고, 현장에서는 더욱 마음이 바빠지기 시작했다.

"시각장애인 부부가 살고 있어요. 아내가 안마를 하여 번 돈으로 살아가는데 아저씨가 웬일인지 유리창을 부숴대고 있습니다."

현장에 출동했을 때 옆집에 살고 있다는 아주머니의 설명이었다.

"분명 아내는 일하러 갔을 텐데 누군가와 싸움을 하는 것 같기도 해요."

이런 말도 곁들였다.

우리가 현장에 도착했을 때도 상황은 멈추지 않았다. 문을 열고 들어가려고 해도 보조열쇠가 잠겨 있어 현관문을 열 수가 없었다. 더욱 더 마음이 바빠지고 온갖 불길한 예감이 다 들었다.

암흑 같은 방안에서 술에 취한 김철곤 씨는 아마도 옷장에 달린 유리 거울과 작은방 창문을 자꾸만 부수고 있는 것 같았다. 우리는 형광등 불을 켜라고 소리 질렀다.

그런데도 그는 술에 취해 어디가 어딘지 모르겠다고 한다. 아마도 방향 감각을 잃은 것 같았다.

"어떤 사람이 들어와서 목을 죄고 있어요."

김철곤 씨는 이렇게 횡설수설하면서 소리를 질러댔다. 안에서는 '자각자각' 깨진 유리조각을 밟는 소리가 들렸다. 방안에 유리가 얼마나 깨져 있는지 도저히 알 수가 없었다.

복도에서 손전등을 켜서 살펴보니 잘 보이지 않았다. 움직이지 말라고 소리쳤지만 소용이 없었다.

김씨가 많이 다친 것 같아 급히 119 구급차량을 불렀다. 다른 곳에 출동했다가 오느라 걸리는 시간 때문인지 빨리 도착하지 않아 애간장이 탔다. 옆집 아주머니도 "꼼짝 말고 있어라"고 고함을 질러댔지만 김씨는 아랑곳하지 않았다.

계속 유리조각 밟는 소리와 가재도구 부수는 소리가 들렸다. 만약 맨발로 유리조각을 밟고 있다면 상처가 크게 생겼을 테고 방안에 피가 고여 있을 것 같기도 했다. 119 차량을 기다리는 몇 분이 오랜 시간으로 느껴졌다.

마침내 119 차량이 도착했다. 대낮같이 밝은 대형 이동식 손전등을 비추어 가며 방범창살을 뜯어냈다.

119 구급대원들과 같이 창문을 넘어 집안으로 들어가서 부서진 유리조각을 제거하고 불을 켜니 방안에 김씨가 술에 취해 넘어져 있었다.

양손과 발바닥은 유리조각에 찔려서 상처가 깊었다. 김씨를 흔들어 깨워 또 다른 상처부위를 살펴보았다. 병원으로 빨리 옮기지 않으면 위급할 정도로 피를 많이 흘린 상태였다.

구급요원들이 관할 삼성병원으로 옮기자고 했다. 방안에는 마시고 남은 여러 개의 술병과 먹다 남은 새우깡 한 봉지가 있었다.

그는 술에 취해 헛것을 보고 사람이 들어왔다며 창문과 가재도구를 부수고 있었던 것이다.

김철곤 씨는 평소 열심히 일하는 아내와는 달리 매일 술과 더불어 소일할 만큼 술을 좋아하는 사람이라고 했다. 자신의 신체적 장애를 비관하며 극단적 선택을 하거나 술로 세월을 보내는 사람의 유형이라고나 할까.

경찰의 일선인 지구대나 파출소 근무를 하면서 사건 현장에 출동해보면 안타까운 사연을 접할 때가 많다.

살기가 힘들다는 이유로 술로 어려움을 풀려고 하는 사람들이 많다는 것을 느낄 수 있다. 마치 술이 모든 것을 해결 주는 것처럼. 사실은 전혀 그렇지 않은데도 말이다.

김철곤 씨가 병원에 간다 해도 보호자가 없다면 의사는 치료하기를 꺼린다. 당장 보호자가 필요했다.

아내에게 연락을 취해도 전화를 받지 않았다. 평소 술을 자주 마시고 속을 썩이니까 일부러 전화를 받지 않을 거라는 생각도 들었다. 아마 김씨의 사고를 그의 아내가 알았다고 해도 올 수 없는 상황인 것 같았다.

지혜로운 그의 아내가 평소 옆집에 살고 있는 아주머니에게 열쇠를 맡겨두고 급한 일이 생기면 도와 달라는 부탁을 해두어서 그나마 다행이었다. 먼 친척보다 가까운 이웃이 낫다는 말처럼 이웃집 아주머니는 따뜻한 가족이 되어 주었다. 살을 에는 추위에도 선뜻 구급차량에 승차하여 사람들을 안심시켰다.

한편으로는 고맙기도 하고 한편으로는 든든했다.

병원에서 얼마나 오래도록 머물러야 할지는 모르지만 김철곤 씨가 빨리 쾌유했으면 좋겠다. 김씨도 이번 기회에 절주와 건전한 음주가 최상임을 실감할 수 있었으면 좋겠다.

# 면허가 있어야 밥벌이하는 사람의 음주운전

운전으로 밥을 먹고 사는 사람도 술 마시고 운전하다 낭패를 당한다.

그런 사람 중에는 택시기사와 같이 택시운전면허 자격증을 가진 사람들도 있다. 세상을 포기하려고 그런 건지 감각이 없어졌는지는 모르지만 그만큼 '설마' 하는 생각이 깊게 깔려 어지간해서는 겁이 없어졌다는 생각이다.

택배 운전으로 생활하는 조영택 씨의 경우를 보자. 그는 사업에 실패하고 가족들과 떨어져 혼자 고시원에서 살고 있다. 몇 년째 1톤 봉고 차량으로 택배 일을 하고 있다.

지난해 연말, 조영택 씨는 점심을 먹으면서 술을 마셨다. 혼자 술을 얼마나 마셨는지는 모른다. 택배 일을 한다고 술을 마시지 말라는 법은 없지만, 문제는 그가 술을 마신 상태에서 운전을 했다는 사실이다.

술에 취해 운전하는 것을 보고 주위에서 신고를 했다. 조영택 씨가 가고 있다는 현장으로 달려갔지만 차는 벌써 떠나고 없었다. 멀리 가지 못했을 것이라 생각하고 예상 길목을 부단히 살폈다. 아니다 다를까, 신고자가 말한 차량의 번호가 눈에 들어왔다.

조영택 씨를 발견하고 현장에서 음주측정을 했다. 지금까지 단속한 사람들 중에 그렇게 많이 측정된 사람을 본 적이 없을 정도였다. 혹시 음주 측정기계가 잘못되지 않았나 싶을 정도였다. 0.36%, 자칫 죽을 수도 있는 수치였다.

지난 달 어떤 사람이 모자를 눌러 쓰고 파출소로 찾아와 도저히 벌금을 내지 못하니 구속시켜달라며 시비를 했다. 그때도 입에선 지독한 술 냄새가 났다. 어디서 본 적이 있는 사람이다 싶어 자세히 뜯어보니 조영택 씨였다. 그는 단속이 된 이후 아무 일도 하지 못하고 고시원에서 시간을 보내고 있었다. 벌금 500만 원을 내지 못하자 스스로 차라리 구속시켜 달라며 파출소로 찾아온 것이다.

벌금 문제로 검찰청에 전화하여 돈이 없으니 감옥으로 가겠다고 구속시켜 달라는 이야기를 했다고 한다. 벌금 수배자인 것으로 보아 검찰청에서도 그의 뜻대로 해준 것 같았다.

관련 서류를 만들어 경찰서 형사계로 데려갔다. 그는 구치소로 이송되어 하루 5만 원씩 100일간 벌금 대신 노역 생활을 할 것이다.


부자들이 많이 산다는 서울 강남 한복판에도 비닐하우스 동네가 있다. 구룡 마을은 생활이 어려운 1,200여 세대의 사람들이 비닐하우스에서 살아가고 있다.

최호동은 53세로 구룡 마을에서 살아가는 장애자다. 그는 술을 마시고 운전하다 교통사고로 다쳐 두 발을 사용하지 못하는 장애를 가지고 있다. 그나마 그는 유일한 능력으로 차량을 이용하기 때문에 활동이 가능하다.

최호동은 아침저녁으로 팔순이 다 된 어머니를 출퇴근시키는 일을 하고 있다. 그의 어머니는 강남의 한 개인병원에서 청소하는 일을 하고 있다. 그나마 할머니가 조금씩 벌어다 주는 돈으로 생활비에 보태고 있었다.

지난 봄 저녁 시간, 퇴근을 앞두고 있는데 구룡 마을에서 싸우고 있다는 연락이 와서 출동을 했다. 현장에 출동해보니 사소한 이웃 간 분쟁 사건이 었다. 서로가 양보하여 현장 정리로 마무리하고 돌아올 수 있었다.

사무실로 돌아오려고 순찰차 시동을 걸고 있었다. 이때 뒤에서 승용차 한 대가 주차된 차량을 피하면서 순찰차 옆구리를 들이받았다. 다행히 다친 사람은 없었지만 순찰차량은 움푹 들어갔다. 운전자는 장애가 있는 최호동 씨였다.

최호동 씨는 술에 취해 있었고 입에서 술 냄새가 심하게 났다. 승용차가 순찰차를 충돌하자 주변의 사람들이 구경을 했다.

구룡 마을에 살고 있는 최호동 씨가 사고를 냈으니, 경찰이 어떻게 처리하는지 보자며 구경하는 듯했다. 그는 이웃 사람들에게 좋은 일을 많이 해서 평판이 나쁜 사람은 아니다. 그렇다고 그를 그냥 보낼 수는 없는 일 아닌가. 마음이 아팠지만 교통 경찰관에게 연락을 해서 음주측정을 했다. 면허가 취소되는 수치가 나왔다.

오늘 사고가 난 것도 동네 술집에서 술을 마시고 있는데 이웃 사람이 심부름을 부탁해서 술 먹다 말고 심부름을 다녀오다 일어난 사고였다. 절대 빈곤자에게는 한 번의 관용 혜택이 주어진다는 말을 어디서 듣고는 변호사를 선임해서 혜택을 보려고 동분서주했다.


개인택시를 하고 있는 오경호 씨는 비번 날이면 테니스를 즐긴다. 같은 조의 근무자들과 운동을 마치고 맥주를 마셨다고 한다.

그가 하는 말로는 생맥주 500cc 한 잔을 마셨다고 했다. 약간의 시간이 흘러 이 정도면 괜찮겠지 하는 판단을 하고 집으로 돌아오고 있었다.

집에서 불과 몇 미터를 남기지 않은 곳에서 학원에 아이를 태우러 나오던 한 아주머니의 운전 부주의로 사고가 났다. 사고가 나자 아주머니는 택시운전자 입에서 술 냄새가 많이 난다며 신고를 했다.

현장에서 음주 측정을 했다. 그는 면허가 취소되도록 술을 마신 상태였다. 당연히 그는 면허가 취소되었다.

강남을 비롯한 시내 도로공사는 출근하지 않는 토요일에서 월요일 새벽까지 공사할 때가 많다. 김익수 씨는 도로포장공사를 전문으로 하는 불도저 운전수였다.

김익수 씨는 토요일과 일요일 이틀에 걸쳐 서울 외곽의 도로공사를 마치고 월요일 아침에 퇴근을 하고 있었다. 공사를 마치고 퇴근하기 전에 아침을 먹으면서 술을 마셨다고 한다.

아마 일을 마치고 해장술을 마신 것 같았다. 이틀을 힘들게 일하면서 충분히 휴식을 하지 않은 상태에서 마신 술이라 그런지는 몰라도 마신 양보다 훨씬 빨리 취했다.

월요일 출근시간 직전, 이동 차량이 붐비지 않는 틈을 타서 귀가하고 있었다. 그는 자신의 승용차를 운전하고 오다가 피로가 몰려오면서 신호대기 차량을 보지 못했다고 한다.

얼마나 세게 앞차를 들이받았는지 피해 차량은 거의 앞좌석과 뒷좌석이 붙어 있었다. 그는 별로 많이 다치지 않았지만 피해자는 급히 병원으로 옮겼는데 중태라고 했다. 차량운전면허증 말고도 불도저 면허까지 취소가 되는 어처구니가 없는 불행한 사고였다.

# 사건 현장에서 느끼는 작은 행복

퇴근 시간쯤 때면 매일이다시피 휴대전화로 문자 메시지가 온다. 경고라기보다 당부하는 문자다. 조금 미안한지 저쪽에서 먼저, '문자 보내는 것도 지겹다'는 말로 시작한다.

"음주운전을 하지 말자"는 경찰서장의 문자메시지다.

이젠 어떤 애절함과 간절함이 묻어 있다. 술을 마시지 않는 사람에게는 스트레스가 되기도 한다. 그렇다고 술 마시는 동료들에게 경고나 주의를 주는 메시지가 될지도 궁금해진다.

전국의 경찰관 수는 의경을 포함하여 15만 명이다. 구성원이 많아서일까. 거의 매일이다시피 음주사건이 발생하기 때문에 경찰청장 지시로 문자 메시지를 보내고 있다.

언제까지 계속될지 모르지만 암만해도 끝나지 않을 것 같다.

이렇게 메시지를 보내는데도 술 마시고 운전을 할까 싶지만 소용없다. 아무래도 또 누군가는 술을 마시고 운전할 것 같은 생각이 들기 때문이다.

경찰관들의 음주 실력 또한 유별나다. 그래서인지 종종 사고가 발생한다. 음주로 인한 크고 작은 사건사고는 자신에게 불행인 동시에 많은 사람들로부터 지탄을 받곤 한다.

퇴근 후 저녁식사 때나 모임에서 빠지지 않는 게 술이다. 얼마 전 한 동료는 자랑삼아 친목회 모임에서 7명이 앉아 소주와 맥주 40병을 마셨다고 무용담을 늘어놓았다. 술꾼들 틈에 있다 보면 못 마시는 사람도 술이 조금씩 늘게 마련이다.

스트레스를 풀기 위해 술을 마신다고 하지만 핑계이자 변명일 뿐이다. 술 마신 후유증은 더 심한 스트레스의 원인이 되기 때문이다. '음주운전 금지'를 당부하는 문자 메시지는 지휘부의 바람일 뿐 '소귀에 경 읽기'가 되어가고 있다.


참새가 방앗간을 그냥 지나치지 못하듯 술은 또 다른 술을 부른다. 술 좋아하는 사람은 2차 가기를 좋아한다. 2차는 실수로 이어질 수 있는데도 아랑곳하지 않는다. 혼자라도 꼭 2차를 가는 사람도 있다.

새벽 5시경, 파출소 야간 근무를 하고 있었다. 노래방이라고 하면서 주인과 손님이 시비를 한다는 연락이 왔다. 동료와 함께 현장으로 향했다. 지하 노래방에서는 주인 부부와 50대 초반의 남자 한 사람이 큰소리를 지르며 싸우고 있었다.

손님은 밤 11시경 혼자 취해서 들어왔다고 한다. 들어오자마자 도우미를 불러 노래도 부르고 술도 마신 것 같다. 네 시간 가량 놀고 나서도 술이 깨지 않자 노래방 소파에서 잠들었던 모양이다. 주인 부부가 퇴근을 하려고 손님을 깨웠는데도 일어나지 않았다고 한다.

주인 입장에선 술값을 주지 않으려는 수작으로 알고 바지 호주머니를 뒤지며 일으켜 세우다 옷이 찢어졌다. 황당하게 양복바지 뒷주머니가 찢어져 팬티가 다 보였다. 화가 난 손님은 신고를 하였고 우리가 현장으로 출동하여 사건 처리를 하게 되었다.

나는 손님에게 계산이 되었는지 물었다. 그러자 손님은 주인에게 술값 명세서에다 내역을 적게 하고 계산을 했다. 손님은 도우미를 불러 노래도 부르고 안주를 시켜 술도 마셨다고 한다. 그런데 주인은 아가씨 없이 술만 마셨다고 우겼다. 노래방에서 도우미를 부르고 술을 팔았다면 처벌이 만만치 않기 때문이다.

혹시나 싶어 현장을 둘러보았다. 현장은 이미 깨끗하게 청소가 된 상태였다. 당사자의 진술에 의존할 수밖에 없었다. 우리는 보고서를 작성하고 당사자 진술을 첨부하여 경찰서 형사계로 인계했다.

손님은 어느 은행의 지점장이란다. 그가 건넨 명함이 초라해 보인다. 술을 많이 마시면 남녀노소 할 것 없이 이성을 잃고 실수할 수밖에 없다는 것을 새삼 느끼게 했다.


추적추적 가을비가 내리는 새벽이었다. 술에 취한 사람이 쓰러져 있다는 신고가 지령되었다. 달려간 현장에는 30대 초반으로 보이는 남자가 웅크리고 있었다. 비를 맞으며 남자가 주저앉은 바닥은 빗물로 질퍽거렸다.

대부분의 사람들이 잠든 시간에도 누군가는 술에 취해 거리에 쓰러져 있다. 동료와 함께 현장으로 달려갔을 때 남자는 의식이 별로 없어 보였다. 우리는 그를 일으켜 세우려 했지만 좀체 일어나지를 않는다.

일면식도 없는 그가 우리를 힘들게 했지만, 우리의 본분이려니 했다. 스스로 일어서겠다는 의지가 없다면 부축하는 사람은 엄청나게 힘이 든다.

"일어서 보라"고 다그치기도 하고, "집이 어디냐?"고 물어보기도 했다. 남자는 말도 제대로 못 할 정도로 술에 취해 있었다. 술을 많이 마셔서인지 무척 고통스러워했다. 어찌 보면 당연한 생리 현상이다.

술에 취한 남자도 일으켜 세우려는 우리도 힘이 들었다. 윗옷과 청바지에는 그가 토한 것으로 보이는 오물이 잔뜩 묻어 있고, 시간이 한참 지났는지 추위에 벌벌 떨고 있었다.

지나가던 사람이 신고를 해준 것이 그나마 다행이었다. 집이 어딘지, 휴대전화를 찾으면서 기본적인 인적사항을 물었다. 아무리 소리를 질러도 남자는 대답을 하지 못했다. 우리는 고주망태가 된 그에게 더 이상 말을 시키지 않았다.

할 수 없이 호주머니 속의 지갑에서 주민등록증을 꺼내보았다. 그의 집은 부근이었다. 술을 많이 마시고도 집 근처까지는 잘 찾아온 것 같았다. 바로 옆 건물의 5층 옥탑이 주소였다.

우리는 남자를 데리고 주소지인 집으로 올라갔다. 왜 그렇게 무거운지, 힘 빠진 상태로 널브러진 남자는 끌고 간다는 표현이 더 어울렸다. 엘리베이터도 없는 계단으로 땀과 빗물을 닦으며 올라가 벨을 눌렀다. 잠을 자던 그의 어머니는 우리를 보더니 깜짝 놀란다. 술에 취해 초주검이 되어 끌려오는 아들을 보고는 더욱 놀라는 표정이다.

나는 보호자를 찾아 반갑기도 하고 힘이 들어 화가 나기도 했다. 그래서 그의 어머니에게 따지듯 물어보았다.

"아들이 왜 이렇게 술을 많이 마시고 다녀요?"

그의 어머니는 거듭 "고맙다"는 말과 함께 집안에 무슨 일이 있었다고 하며 힘든 상황을 대변했다. 그러면서 "사실 제 아들은 말도 못 하고 듣지도 못 한다."고 말해주었다.

그때서야 남자가 '농아聾啞장애인'이라는 것을 알았다.

우리는 그것도 모르고 정상인에게 하듯 그에게 전화번호와 집주소를 묻고 있었던 것이다.

술을 좋아하면 당연히 마실 수 있다. 농아 장애인이라고 술 마시지 말라는 법은 없다. 문제는 술에 취해 쓰러지면 교통사고 등 정상인보다 더 위험하다는 생각이 들기 때문에 조심해야 한다는 것이다.

나의 선입견이나 고정관념이 얼마나 어리석은지 반성하는 계기였다. 그의 어머니는 연신 "미안하다", "고맙다"며 안절부절 했지만 우리는 벌써 힘이 다 빠져 있었다.

현장근무가 술 취한 사람으로 인해 힘들기도 하지만 봉사와 보람으로 작은 행복을 느끼기도 한다. 일체유심조라는 말처럼 행복과 불행도 마음먹기 나름이라는 생각이 든다. 오늘 원수같이 밉게 보이는 사람도 세상 어딘가에는 사랑하는 가족이 그를 기다리고 있는 것을 보면서.

대부분의 경찰관은 야간근무나 취객과의 시비가 힘들어 현장 근무를 기피한다. 그렇지만 누군가는 반드시 해야 할 일이기도 하다. 지금도 전국 곳곳에서 현장 근무를 하는 경찰관들은 밤을 새며 맡은 일을 해내고 있다.

그리고 대다수 현장 근무자는 오늘도 '봉사'라는 행복 통장의 잔고를 쌓아가고 있다. 그런가 하면 휴대전화 문자 메시지가 우려하듯 누군가는 또 음주운전과 자체 사고로 쌓아놓은 잔고를 까먹기도 한다.

날마다 반복되는 일상이라 해도 현장 근무를 하면서 취객을 가족의 품으로 돌려보내는 순간만큼은 작은 행복을 느끼게 된다.

# '안전'과 '보호조치'

　지구대나 파출소에서 근무하는 현장 근무자들의 신경을 가장 날카롭게 하는 것은 '보호조치'나 '안전'으로 접수되는 신고다. '안전'이나 '보호조치'라는 말은 술에 취한 사람이 쓰러져 있다는 경찰 음어로 현장 근무자들에게는 너무나 익숙하다.

　계절적으로는 겨울보다는 여름에 '보호조치'나 '안전' 신고가 많고, 당연히 낮보다는 밤이 많다. 경찰관에게 직접 신고를 하기도 하지만, 가끔 119 구급요원들에게 신고를 하기도 한다.

　대부분의 경우 술 취한 사람이 아무 데서나 쓰러져 있는 것을 보고 지나가던 사람이 신고를 한다. 이렇게 술 취해 쓰러져 있는 사람들은 특정 계층만이 아니다. 남녀노소가 따로 없다.

　쓰러져 있는 모습도 다양하다.

　옷을 벗어 잘 정돈해 놓고 잠을 자는 사람, 물통이나 신발로 베개를 만들어 잠을 자는 사람도 있다. 여름밤 열대야를 피한답시고 주차된 차 밑에 들어가서 잠을 자는 위험천만인 사람도 있다. 도로변의 벤치에서 큰대★자로 누워 잠이 든 사람은 그래도 양호한 편이다.

술에 취해 쓰러진 사람들은 대개 고통스러워하게 마련이다. 이들은 쓰러진 부근에 밤새 먹고 마신 것들을 질펀하게 쏟아내 놓기도 한다. 비위가 약한 현장 근무자라면 이럴 때 무척 고통스럽다. 다행히 정신을 차리면 귀가 조치를 해주는 것으로 끝을 낼 수 있다.

야간 근무를 할 때 횡단보도 옆에 사람이 쓰러져 있다는 연락을 받고 현장에 출동을 했다. 평소에 약간 안면이 있는 어느 은행 지점장이었다. 호주머니 속의 휴대전화를 꺼내서 집 전화번호를 찾아보았다.

집 전화번호로 전화를 하여 그의 아내에게 집이 어디냐고 물었더니 경기도 남양주라고 한다. 잠을 자다 일어난 목소리다. 정확히 주소를 묻고 현재 상황을 설명한 다음 택시를 태워 보내겠다고 했다.

지점장의 아내는 화들짝 놀란다. 놀랄 만도 하다. 시간은 새벽 3시, 경찰관이라고 하면서 전화를 했으니 말이다. 서울 시내에서 시외로는 나가지 않겠다고 하는 택시기사에게 사정사정하여 집으로 태워 보냈다.

이럴 때마다 "내가 술꾼과 일행인가?" 하고 착각할 때도 있다.

이렇게 술에 취한 사람 중에는 가끔 휴대전화 잠금장치나 비밀번호를 입력시켜 두어서 힘들게 할 때가 많다. 이럴 땐 술에서 깨어나길 기다리거나 전화가 오기를 기다리는 수밖에 없다.

술에 취해 쓰러져 있는 사람들은 그나마 시비를 걸거나 옆 사람과 싸움을 하지 않아 다행이다.

현장 경찰관에게 잠자는 사람을 깨웠다고 시비하는 사람도 가끔 있고, 갑자기 주먹세례를 받기도 한다. 막무가내로 폭행을 행사하거나 난동을 부려 공무집행을 방해한 죄로 형사 입건되는 일도 있다. 겨울에는 늦게 신고가 되어 동상에 걸리기도 하고 자칫 동사하는 사람도 있다.

2012년 2월 늦은 밤, 강남구 대치동 포스코 건물 앞 계단에 술 취한 사람이 쓰러져 있다는 신고를 접수하고 현장에 갔다. 지방에서 본사로 교육을 받기 위해 상경했다는 40대 초반의 임진수 씨였다.

교육을 마치고 본사 직원들과 저녁을 먹으면서 술도 곁들였다. 임씨는 술에 약했다. 그럼에도 열심히 술을 '주거니 받거니' 하다가 몹시 취했다. 혼자 모텔로 가려고 계단을 내려오던 중에 헛발을 디뎌 인대가 늘어났다. 그것도 모르고 한참을 쪼그리고 앉아 있었는데, 지나가던 사람이 신고를 해준 것이었다.

처음엔 모텔로 데려다 달라고 하여 그러자고 하면서 부축을 하는데 제대로 일어서지도 못했다. 아무래도 이상해서 병원으로 후송조치를 했다. 병원에 가지 않겠다고 우기는 것을 겨우 설득하고 데려가 안전하게 인계를 할 수 있었다.

며칠 후 휴대전화에 잘 알지 못하는 낯선 번호가 떴다. 전화를 받고 한참 대화를 나눠보니 임진수 씨였다. 지방의 병원에 입원해서 치료를 받고 있다고 했다. 그러면서 보험금을 타려고 수속을 밟기 위해 그날의 상황을 묻는 것이었다.

술은 순간의 고통을 잊게 하는 약간의 효과가 있기는 하다. 하지만 만취하면 사람이 다치고 생명을 잃기도 한다. 술도 적당히 마시면 된다고 하지만, 그 말을 지키기는 정말 어려운 일이다. 누구나 많이 마시면 실수를 하게 마련이고, 그 한 번의 실수로 하나뿐인 생명을 잃을 수도 있다. 그러기에 술은 항상 거리를 두고 잘 다스려야 한다.


여름철이면 술로 인해 발생하는 사건사고가 절정을 이룬다.

7월 초순의 어느 날 밤, 직장생활 3~4년차로 보이는 젊은 사람이 양복 차림으로 쓰러져 잠을 자고 있었다. 자신의 구두를 벗어 베개로 삼고 양복 윗도리는 옆에 벗어 놓은 채 가방도 아무렇게나 팽개쳐져 있었다.

다행히 지갑과 휴대전화는 바지주머니에 들어 있어서 잊어버리지 않았다. 보통 술에 취해 쓰러져 있는 취객들의 주머니를 털어가는 사람들도 있기 때문에 조심해야 한다는 것은 물어보나마나한 일이다.

그런데도 술 취한 사람들은 아랑곳하지 않고 아무 데서나 쓰러져 잔다. 자고 일어나면 지끈거리는 두통에 속이 쓰리면서 후회가 물밀 듯 닥치겠지만 그때는 이미 후회해도 늦다.

10년차 회사원 노중현 씨가 중요한 파일이 들어 있는 노트북을 잃어버렸다고 신고를 해왔다.

술에 취해 있었던 그는 어디서 잃어버렸는지도 몰랐다. 경찰에 신고한다고 전부 찾을 수 있는 것도 아니다. 궁여지책으로 분실 신고를 하면서 그는 주변의 CCTV를 확인해 달라는 부탁과 함께 회사에서 잘릴지도 모른다고 난감해 하면서 과음한 것을 후회했다.

50대 중반의 이봉철 씨가 아파트 입구로 들어가는 계단에 아무렇게나 누워 자고 있었다.

마침 공부를 마치고 귀가하던 어떤 대학생이 전화로 신고를 해주었다. 대학생은 신고를 하고 나서 경찰이 어떻게 처리하는지 지켜보고 있었다.

다행히 이봉철 씨는 휴대전화 잠금장치를 하지 않아 집으로 쉽게 연락을 취할 수 있었다. 휴대전화 잠금장치가 되어 있으면 연락을 취할 수 없어서 경찰은 애가 탄다. 흔들어 깨워도 일어나지 않고 연락도 할 수 없는 술꾼을 어떻게 할 수 있겠는가?

주당酒黨들이여, 제발 휴대전화 잠금장치는 하지 마시라. 그래야 술에 취해 쓰러져 있더라도 출동한 경찰이 빨리 조치를 취해줄 수 있다.

야간 근무를 하는 날이면 거의 매일 술에 취한 사람이 쓰러져 있다는 신고를 받고 현장으로 달려간다. 특히 금요일은 도떼기시장이 따로 없다. 술집이 많은 동네의 지구대나 파출소는 술 취한 사람들만 사는 것으로 착각할 만큼 붐빈다.

현장 경찰관들에게는 반복되는 일상이지만, 핑계가 없어 술을 마시지 못하는 술꾼은 없다. 하지만 갖은 이유와 핑계로 술을 마시는 술꾼들의 몸과 마음은 병들어 갈 수밖에 없다.

매일이다시피 술 때문에 일어나는 사건에 가장 스트레스를 받는 사람은 아마 현장 경찰관일 것이다.

술자리와는 전혀 관련이 없는 경찰관이 스트레스를 받는 것은 본분 때문이니 어쩔 수 없지만 음주 문화는 바뀌어야 한다.

술은 좋아서 마시기도 하지만 기분이 나빠서 마시기도 한다. 기분이 나빠서 술을 입에 댈 때는 사건사고가 더 일어나기 쉽다. 신고를 받고 출동하여 현장에 나가 보면 대부분은 술에 취해 있다. 냄새만으로도 옆에 있는 사람이 토할 정도로 취해 있는 경우도 허다하다.

너도나도 휴대전화를 지니고 있다 보니 지나가던 사람들이 신고할 때가 많다. 그 중에서도 술을 마신 사람이 쓰러져 있다는 신고가 가장 많다. 겨울에는 혹시 동사라도 당할까 봐 신고를 받으면 습관처럼 달려 나간다.

그런데 여름철에는 오히려 보란 듯이 이런 행태는 더욱 빈번하다. 아무데서나 쓰러져 잠을 자고 있는 술꾼들을 보면 언제까지 경찰이 뒤치다꺼리를 해야 할지 의구심마저 생긴다.

호주나 핀란드 같은 나라는 술꾼들이 인도나 길거리에서 잠을 자는 경우 경찰서 유치장에서 보호조치를 하게 한 다음, 아침에 술이 깨면 무거운 벌금을 물린다고 한다. 이렇게 되자 술에 취해 길거리에 쓰러져 자는 사람은 거의 없다는 것이다. 우리도 한 번 생각해볼 일이다.

교통방송 진행자의 느닷없는 멘트가 사람들을 어리둥절하게 한다.

"지금 88올림픽대로에는 도다리와 광어 등 수많은 물고기가 펄떡펄떡 뛰고 있습니다."

처음 들을 때는 "이게 무슨 소리지?" 하는 생각이 들었다. 그러나 사실이었다. 술을 마신 운전자가 활어를 싣고 수산시장으로 가다가 운전부주의로 차량이 전복되자 수많은 물고기가 도로에 쏟아져 펄떡거리고 있었던 것이다.

설명을 듣고서야 진행자의 멘트를 이해할 수 있었다. 이쯤 되면 술 마신 운전자의 안전도 그렇고 활어의 보호조치도 물 건너간 셈이다.

제2장

# 가정파괴의 주범

# 가정을 파괴하는 술

올해 마흔세 살의 회사원 김정도 씨는 회사 홍보실에서 근무할 때 사내연애로 결혼하여 아이가 셋이다. 결혼하면서 직장을 그만둔 아내는 가정에서 남편과 아이들을 뒷바라지해 왔다. 평범하지만 대한민국의 보통 가정으로 누구보다 다복한 가족이라고 할 수 있었다.

그런데 문제가 생겼다. 김정도 씨가 40대 초반이 되면서 술을 마시고 귀가하는 횟수가 잦아지면서부터다. 그러더니 이게 웬일인가. 최근엔 외박하는 날도 종종 있다. 이에 비례하여 부부싸움도 많아졌다.

특히 나쁜 버릇은 손찌검이었다. 언젠가 김정도 씨가 술을 마시고 들어와 아내에게 손찌검을 시작할 당시만 해도 그저 술 마신 다음의 실수려니 했다. 그런데 이제는 그가 술 마시고 부부싸움을 할 때 손찌검하는 일은 습관처럼 되었다.

그의 아내가 하소연을 해도 친정어머니는 "조금만 더 참고 살아라!" 하고 달랠 뿐이다. 친정어머니인들 무슨 뾰족한 수가 있으랴.

일주일 전부터 김정도 씨가 아내에게 "인감을 떼어달라."고 졸라댔다.

아파트를 담보로 대출을 받아 투자를 하자는 것이었다. 지분이 어쩌고저쩌고 하면서 꿈에 부풀어 있는 그의 모습은 근래에 본 적이 없을 정도로 다른 사람 같았다.

오영수라는 친구가 회사를 기웃거리며 "벤처회사에 공동투자를 하자."고 권하는 말에 빠져 있었던 것이다. 아내가 볼 때 김정도 씨는 사기꾼의 유혹을 받고 있는 것 같았다. 다행히도 아파트 등기는 아내의 명의로 되어 있어 김정도 씨의 요구를 한 마디로 거절했다.

이런 일이 있고 나서부터 김정도 씨는 더 자주 술을 마시고 들어왔고 부부싸움의 횟수와 레퍼토리도 그만큼 늘어났다.

그러다가 결국은 경찰을 불러야 하는 불행한 사건까지 생기고 말았다.

"아내가 식칼을 들고 자녀들을 협박해요."

뜻밖에도 김정도 씨가 112에 신고를 했고, 우리가 지령에 따라 출동을 했다.

아이들의 다툼이 발단이었다. 아이들도 언제부턴가 폭력을 쓰는 난폭한 아이들로 변해 있었다. 엄마아빠의 부부싸움 탓인지, 아빠의 폭력을 봐서인지, 부모에 대한 반항심 때문인지 아이들에게 내재된 감정과 원인은 알 수 없었지만.

그날도 막내가 초등학교 4학년인 작은 오빠와 다투다가 선풍기를 발로 차서 넘어뜨리고, 필통을 집어던져 필통이 부서졌다고 한다. 주방에서 요리를 하던 엄마는 아이들이 다투는 소리에 놀라 아이들 방으로 뛰어갔다. 그리고 아이들을 불러 앉히고 혼을 내면서 무릎을 꿇게 했다. 아이들은 엄마가 너무너무 화가 난 것에 놀라 눈물을 흘리며 벌을 쓰고 있었다.

마침 골프를 마치고 집으로 돌아오던 김정도 씨가 이 현장을 목격했다. 아이들 방 안에 식칼이 두 개나 있고 아이들이 무릎을 꿇은 채 울고 있으니 엄마가 칼로 협박하는 줄로 오인하고 경찰에 신고를 했던 것이다. 자신의 손찌검에서 시작된 폭력이 부메랑이 되어 돌아온 셈이라고나 할까.

김정도 씨는 평소 목소리가 컸다. 술을 한 잔 하면 더욱 목소리에 힘이 들어가서 집이 쩌렁쩌렁 울리도록 소리를 질러댄다. 여름철이라 대개 아파트 문을 열어두는데, 김정도 씨가 부부싸움을 할 때마다 옆 동에서는 구경을 하느라 정신이 없었다.

세상에서 가장 재미있는 구경거리로 불구경, 물 구경, 싸움 구경을 꼽는데 공짜 활극을 구경하지 않을 사람이 어디 있을까. 이미 김정도 씨의 가정은 단골로 온 동네에 구경거리를 제공하는 셈이었다.

"이젠 너무 지쳤어요. 이혼을 해야겠어요."

남편인 김정도 씨의 신고를 받고 출동한 우리에게 그의 아내가 울면서 말했다. 그러면서 식탁 위에 있던 약상자를 들고 와 약봉투를 보여주었다.

"나는 근육병을 앓고 있는 환자예요. 남편과 아이들 뒷바라지를 하느라 너무 힘이 들었는데, 이제는 남편이 폭력까지 휘둘러대니 어쩌겠어요."

그러면서 화장대 위의 액자에 넣어둔 사진을 가지고 왔다.

"이게 2~3년 전의 내 얼굴이에요. 지금은 몸무게가 13킬로가 빠졌어요. 완전 딴사람 같지 않아요?"

아내가 펑펑 울면서 말했다. 사진과 눈앞의 실제 인물을 비교해보니 이해할 만했다.

"남편은 집에 오면 청소가 되어 있지 않다고 아이들과 저를 쥐 잡듯이 잡아요. 아이 셋을 키우다보면 집이 좀 어질러져 있을 수도 있는데 괜히 스트레스를 주고 공포분위기로 몰고 가요. 특히 술을 마시고 들어오면 완전히 딴사람으로 변하는 게 겁이 나요. 오죽하면 앞집에 사는 사람이 이사를 갔겠어요? 창피스러운 일이지요."

한참 사춘기에 접어든 큰애를 비롯하여 아이들이 충격을 받을 것 같아 마음이 아팠다. 이 사건도 김정도 씨의 술버릇이 문제였다. 그의 술버릇으로 부부싸움이 잦아졌고, 손찌검으로 이어져 아이들까지 난폭해졌던 것이다. 술버릇의 결과는 이렇게 무서웠다.

40대 중반의 이양호 씨도 비슷한 경우다. 그는 아내와 지난해 말 이혼을 했다. 이혼 사유는 이양호 씨가 술을 자주 마시고 들어와서 아내와 아이들에게 폭행·폭언을 일삼았기 때문이다.

그날 저녁도 아이들이 보고 싶다는 핑계로 술을 마시고 찾아왔다.

문을 열어주지 않자 아파트 현관문을 발로 차서 부수고 소리를 지르며 소란을 피웠다.

놀란 아내와 아이들이 파출소로 신고를 해왔다. 경찰에 신고를 하자 이양호 씨는 처벌이 두려웠던지 자리를 피했지만, 아파트 번호 열쇠는 다 망가지고 말았다. 그의 아내는 언제 또 들이닥칠지 모르겠다며 아이들을 데리고 친척집으로 갔다.

대부분의 이혼 부부들이 이혼을 하면 모든 게 해결될 것 같지만, 막상 이혼을 한 다음에는 아이들의 양육 문제나 교육 지도 문제로 골치를 앓고 있다. 아이들은 아이들대로 아빠의 폭행과 폭언에 대한 잠재의식으로 불안에 떨기 일쑤다.

따지고 보면 아빠의 술버릇이 가정의 평화는 물론 아이들의 성품과 습관에까지 크게 영향을 미치고 있다. 단순하고 사소하게 시작된 술버릇이 가족들을 불행하게 몰아갈 뿐 아니라 이웃에도 나쁜 영향을 끼치는 것 같아 더욱 안타까웠다.

# 가정폭력과 술버릇

가정폭력의 현장은 항상 두려움과 긴장감이 팽배하다. 가정폭력의 현장은 처절한 느낌마저 들어 잔혹하기 이를 데 없는 조폭들의 싸움판과 비할 바가 아니다.

가정이 파괴되어 몇 사람의 인생이 함께 망가지는 안타까움이 있다.

한 가정이 무참하게 무너지는 현장은 언제나 가슴을 아프게 하지만, 발단은 어처구니없는 경우가 많다.

소중한 가정을 무너뜨리는 가정폭력의 현장에 출동해보면 대부분의 원인이 술 때문이란 것을 알 수 있다. 가정폭력은 나이가 많고 적거나 잘 살고 못 사는 문제와는 전혀 상관이 없어 보인다.

50대 중반의 정기용 씨 역시 술버릇이 나쁜 사람이다. 그는 신도 부러워한다는 국영기업체에서 일하고 있다. 서너 개의 적금과 퇴직 후 연금을 합하면 노후에 먹고 사는 문제도 전혀 걱정이 없다. 그의 아내도 남편 봉급을 잘 관리하는 알뜰주부라고 소문이 날 정도이다.

그런데 정기용 씨가 평소 술을 너무 자주 마셔서 몸이 약해진 탓인지 금방 술에 곯아떨어지는 일이 많다는 게 걱정이었다.

　지난해 겨울 어느 날, 정기용 씨가 다른 여자를 만나다가 아내에게 들켰다. 일종의 '바람'이다. 여자를 만난 것도 술자리와 무관하지 않은 듯했다. 이 일로 부부싸움이 시작되었다. 술을 마시고 부부싸움을 하던 지난달에는 분에 못 이겨 부엌칼로 아내를 위협했다. 색시 같은 성격이라 술을 마시지 않았다면 상상도 못 할 일을 저질렀던 것이다.

　지난달 처음 이런 일이 일어났을 때는 '가정폭력'으로 입건되어 벌금형을 받았다. 그랬는데 이번에 또 정기용 씨가 부엌칼을 드는 것을 보고 아내가 신고를 했다.

　"남편에게 단단히 겁을 주어 다시는 이런 일이 일어나지 않도록 해서 보내주세요."

　그의 아내가 경찰관들에게 신신당부를 했다.

　오죽하면 그런 부탁을 할까마는 경찰관이 어디 술꾼 겁주는 사람인가? 이런 가정폭력 사건을 취급할 때 경찰관은 오히려 매우 불안한 상태다.

　평소 아무리 다정다감한 사람이라도 술에 취하면 어떻게 변할지 모르기 때문이다.


　지난해 겨울, 강동구 가정주택에서 50대 후반의 여성이 60대 후반의 남편에게 폭행을 당했다고 신고를 해왔다. 현장에 경찰관이 출동했을 때 남편은 이미 도망을 간 다음이었다.

　이들은 중국 동포 부부로서 한국 국적을 취득하여 살고 있었다. 남편은 술만 취하면 상습적으로 폭행과 폭언을 일삼았다고 한다.

　지구대로 여성을 데려와서 쉼터나 다른 곳에 가서 잠시 피해 있으라고 권했다. 그러나 본인이 극구 싫다고 하여 30여 분 동안 지구대에서 보호조치만 해주었다.

그때까지 남편이 집으로 돌아오지 않았다는 것을 알고 여성이 돌아가겠다고 고집하여 순찰차로 집까지 데려다 주었다.

그런데 한 시간 후 여성은 남편이 휘두른 칼에 찔려 생명을 잃고 말았다. 사건의 처음부터 끝까지 술이 문제였다.

대부분의 가정폭력 사건은 가해자와 피해자가 모두 가족이기 때문에 "설마 또 다른 사건이야 일어날까?" 하는 마음가짐도 문제다.

피해자는 경찰이 왔다 가면 가해자가 진정되었거나 사건이 해결되었다고 생각하는 모양이다.

막상 경찰이 가해자와 피해자를 격리조치하려고 해도 가해자나 피해자는 갈 데가 없다고 할 때가 많다. "술이 원수지 술만 깨고 나면 괜찮겠죠?" 하는 피해자의 안이한 생각이 종종 더 큰 사고를 부를 수 있다. 술은 인정미人情味마저 무색하게 만들기 때문이다.

자식이 술을 마시고 부모를 폭행하는 일도 있다.

서울의 강남구 대치동 아파트에 살고 있는 김덕환 씨 이야기다. 그는 40대 중반인데도 결혼하지 못하고 일정한 직업도 없다. 그는 70대 중반의 어머니와 같이 살고, 여동생은 결혼한 다음 분가해서 따로 살고 있다.

평소에는 부처님 가운데 토막처럼 점잖은 그가 술만 취하면 어머니에게 폭행과 폭언을 일삼았다. 아들의 폭언과 폭행 때문에 어머니는 5개월 동안 딸네 집에서 살기도 했다.

어머니는 술을 마셔대는 아들에게 더 이상 같이 못 살겠다고 집에서 나가라고 했다. 김덕환은 막상 갈 데가 없었다. 현재 살고 있는 집도 어머니가 임대주택으로 받은 아파트였다.

아들이 집에서 나가라고 해도 나가지 않고 계속 폭행과 폭언을 일삼자 참다 참다 지친 어머니가 아들을 경찰에 신고했다.

"아들이 집에서 나갔으면 좋겠고… 단단히 혼을 내주세요."

오죽하면 처벌을 원하는 어머니의 피해 진술을 받아 가정폭력범으로 처리했다.

김덕환은 경찰에서 조사를 받고 마땅히 갈 데가 없어 다시 집으로 돌아갈 수도 있다. 잘못을 알고 용서를 빌면 다행이지만, 그가 어떤 돌발행동을 할지는 아무도 모른다. 지금까지 어머니에 대한 망나니 소행으로 볼 때 무슨 일이 발생할지 불안할 뿐이다.


세상 탓인가, 술 탓인가.

술에 취하여 부모를 살인하는 패륜범悖倫犯도 있다.

2014년, 새해 들어 차마 입에 올리기도 민망한 패륜 범죄가 발생했다. 포천에서 살고 있는 50대 후반의 남자가 술에 취해 83세의 모친을 때려 숨지게 했다. 할머니는 아들이 술에 취해 자신을 때리자 이웃으로 피신하여 시집간 딸에게 알려달라는 부탁을 했다고 한다.

이웃 사람들이 급히 병원으로 옮겼지만 장 파열로 숨졌다. 할머니의 온몸에 피멍이 들어 있는 것을 수상히 여긴 의사가 경찰에 신고를 하면서 수사가 시작되었다. 할머니는 갈비뼈 20개가 부러진 상태였다.

경찰은 술에 취해 자고 있는 아들을 존속살인 용의자로 체포했다.

이 사건도 과도한 술이 원인이다. 자세한 사건 경위는 경찰수사로 밝혀지겠지만 술에 취하면 부모도 알아보지 못한다. 아들은 폭행 사실을 부인하며 어떻게 사건이 일어났는지 모른다고 둘러댈지도 모른다.

# 술 취한 아버지는 원망과 증오의 대상이다

무직인 마흔여섯 살의 조재경 씨(46세).

한때는 남들이 부러워하는 대기업의 회사원이었다. 10여 년 넘게 그룹 연구실에서만 일하다가 구조조정으로 회사를 그만두었다. 그의 나이 마흔세 살 때였다.

조재경 씨의 실직은 맑은 하늘에 날벼락과 같았다. 그는 오로지 회사밖에 몰랐다. 남들이 쉬는 날에도 회사에 가는 날이 많았고, 일찍 출근하여 늦게 퇴근하는 회사 인간이었다. 그런데 그렇게 열정적으로 일했음에도 구조조정을 당했던 것이다.

본인만큼은 아니겠지만 전업주부인 아내와 중고등학교에 다니는 아이들에게도 엄청나게 큰 충격이었다. 6개월 정도는 얼떨떨한 가운데 그럭저럭 지낼 수 있었다.

조재경 씨는 6개월이 지나면서 대학 다닐 때 그만둔 회계사 공부를 다시 시작하기로 했다. 회계사 시험에 합격하면 모든 것이 해결될 수 있을 것 같았다. 그는 아내가 출근하고 아이들이 학교에 가고 난 후 집에서 공부를 시작했다. 아내는 학원비와 생활비를 벌기 위해 생활전선에 나섰다.

전업주부였던 아내는 집에서 가까운 마트에 계산원으로 취직했다. 특별한 기술이나 별다른 이력이 없는 그녀에게 40대의 중년 나이에 그만한 직업이나마 찾게 된 것은 행운이었다.

하지만 불안감은 가시지 않았다. 남편이 퇴직할 때 받은 퇴직금이나 명퇴금으로 당장 굶지는 않겠지만 2년 후면 전세금을 올려달라고 할지도 몰랐기 때문이다.

부동산 경기가 시들해지면서 집주인들은 오히려 전세금을 마구 올리고 있었다. 올려도 보통 올려야 말이지, 입이 딱 벌어질 정도였다. "설마 산 사람 입에 거미줄 치랴!" 하는 생각에도 불구하고 매달 얼마라도 벌어야 한다는 압박감은 가중되고 있었다.

조재경 씨도 집과 학원을 오가며 자격증을 따기 위해 전력을 다했다. 그리고 처음으로 도전한 회계사 시험에 낙방을 했다. 그는 도무지 낙방이 믿기지 않는다는 듯이 자신도 모르게 술을 입에 대기 시작했다.

매일 맥주 1~2캔을 마셔야 잠이 드는 버릇이 생겼다. 아내가 백여 만 원을 벌어와 생활비에 보탰지만, 애들의 학원비는 빚을 낼 수밖에 없었다. 원하는 대학에 보내려면 남들만큼은 아니더라도 기본적인 학원 한두 군데는 보내줘야 할 것 같았기 때문이다.

조재경 씨가 구조조정을 당해 퇴직한 지 2년째로 접어들었고, 두 번째 시험에 또 다시 낙방하고 말았다. 열심히 공부를 했는데도 합격하지 못하자 주량은 더 늘어갔다.

피우지 않던 담배까지 입에 물게 되었고 부부싸움도 잦았다.

"평소 점잖은 사람 같았는데……."

같은 아파트 이웃에 살고 있는 사람들도 우리가 출동했을 때 이렇게 말하며 이해할 수 없다는 표정을 지었다.

특히 한창 감수성이 예민한 중고등학생들에게는 부모의 부부싸움이 평생토록 상처가 된다. 울먹이면서 전화신고를 하던 여고 1년생의 불안한 전화 목소리가 들리는 것 같다.

"아저씨! 출동해 주셔서 정말 감사합니다."

부모는 자식들의 거울이다. 부모가 좋은 거울이 될 수도 있고, 그렇지 않을 수도 있다는 말이다. 아버지에 대한 원망과 증오가 묻어 있던 딸아이의 목소리가 생생하다.

"만약 내가 좀 더 컸더라면 아버지를 가만두지 않았을 거예요."

부모의 폭언과 폭행으로 상처받고 자란 어린이가 성장하면 부모처럼 되기 쉽다.

"그 사람이 살아온 날들을 보면 그 사람이 살아갈 날들이 보인다."

이 말은 성장환경이 중요하다는 것을 단적으로 표현하고 있다. 야간근무를 하고 있던 그날도 이런 점을 느끼고 경험했다.

관할구역 내의 아파트에서 "술에 취해서 식칼을 들고 설치는 사람이 있다."는 신고가 들어왔다. '술꾼'과 '식칼'이라는 말에 잔뜩 긴장할 수밖에 없었다. 현장으로 향하면서 테이저 건과 경찰 장봉도 준비하고 만약을 위해 권총과 실탄도 점검했다.

술꾼은 스물일곱 살의 서종윤 씨였다. 현장인 아파트로 가니 술에 취한 서종윤 씨를 어머니가 방바닥에서 일어나지 못하도록 온몸으로 누르고 있었다. 옆에는 아버지로 보이는 사람이 손등을 찔려서 피를 흘리고 있었다. 다행히 크게 다친 것 같지는 않았다.

아들은 그의 아버지는 물론 말리는 어머니에게도 욕을 해댔다.

"제발 죽게 내버려 두라고요…."

아들은 말리는 어머니에게 고함을 질러댔다. 무슨 사연이 있는지 모르는 나에게 그의 아버지는 "칼은 빼앗았다."고 안심을 시키려 했다. 서종윤은 알코올 중독으로 병원에서 치료를 받은 적도 있다고 한다.

"며칠간 술을 마시지 않고 잠잠하다 싶더니 오늘 술을 마시고 들어와 행패를 부리네요."

그의 아버지가 말했다. 서종윤은 십 원짜리를 섞어가며 아파트가 떠나갈 듯이 욕을 해댔다. 십 원짜리가 넘쳐나 콩가루 집안 같았다. 어머니가 온몸으로 아들을 껴안고 이름을 부르며 달래고 있었지만 소용없었다. 술을 얼마나 마셨는지 지독한 술내가 진동을 했다.

조금 늦게 도착한 형사들도 어떻게든 아들의 행패를 잠재우려 노력했다. 우리가 병원으로 옮기자고 했더니 당장 그의 어머니가 반대했다. 고래고래 소리를 질러대는 아들의 입을 어머니가 수건으로 막았지만 크게 도움이 되지 않았다. 잠자다 놀란 이웃들이 4층의 현장으로 올라와 불만을 터뜨리기도 했다.

"빨리 병원으로 옮겨 안정제나 수면제라도 맞게 해야지요."

반대하는 어머니를 30분도 넘게 설득하자 그때서야 승낙했다.

술에 취해 격렬하게 반항하는 서종윤을 병원으로 옮기는 것도 문제였다. 순찰차보다는 낫겠다 싶어서 119 구급차량을 불렀더니 난색을 표했다.

"구급차량 안에 기물이 얼마나 많은데 저렇게 행패를 부리면 다 부서지지 않겠어요? 갈 수 없겠는데요."

하는 수 없이 순찰차량에 태워 옮기기로 했다. 저항하는 서종윤의 양팔을 김 주임과 형사가 꺾어 움켜쥐고 계단을 통해 내려왔다. 순찰차에 타지 않으려고 땅바닥에 누워서 버티기도 했다. 술 취한 서종윤의 고함소리가 밤의 정적을 깨트렸다.

영하의 날씨인데도 서종윤의 어머니는 얼마나 열을 받았던지 반팔 셔츠와 반바지 차림으로 나와서 남편에게 큰소리로 욕을 퍼부었다. 고함소리에 놀란 주민들이 다 쳐다보고 있었다.

"잘못도 없는데 수갑은 왜 채워요?"

저항하는 서종윤이 다치지 않도록 수갑을 채우려고 하자 그의 어머니가 오히려 거세게 항의하며 결사반대를 했다.

옥신각신할 때 수갑 대신 김 주임이 서종윤을 껴안고, 그의 아버지도 옆에서 팔을 붙잡아주어 힘들게 순찰차량에 태운 다음 병원으로 옮겼다.

영동세브란스 병원에서 서종윤의 난동은 더 심했다. 부모의 허락을 얻어 병원에 준비된 끈으로 단단히 묶었다. 의사가 수면제를 주사할지, 안정제를 주사할지는 모른다.

그러나 무엇보다도 그를 병원으로 옮김으로써 지긋지긋한 이웃들의 신고를 받는 고역苦役으로부터 벗어날 수 있어 후련했다.

"야, 이 XX야! 병원은 너부터 가야해!"

서종윤의 어머니가 남편에게 십 원짜리를 섞어가며 이렇게 욕설을 퍼부어댄 데는 까닭이 있었다. 서종윤이 그의 아버지에게 욕설을 퍼붓는 것과 마찬가지 이유였다.

서종윤의 아버지는 일찍부터 술에 취하면 아내와 아들에게 욕설을 퍼부으며 구타를 하기 일쑤였다고 한다.

술을 좋아하는 아버지로부터 매를 맞고 성장해온 서종윤은 이미 아버지를 그대로 닮아 있었다. 이제 아버지보다 더 힘이 세어지자 복수하듯이 행패를 부리고 아버지에게 욕설을 퍼부어대는 것이다.

# 가정을 위협하는 주부들의 알코올 중독

"아저씨! 저 사람 제발 밖으로 내보내 주세요."

하루가 멀다 하고 술에 취해 있는 주현아 씨가 흐느끼며 말했다. 여느 때 싸우는 현장에서 보던 것과는 사뭇 달랐다. 그 옆에 있는 두 살 된 아이가 토끼눈이 되어 금방이라도 울음을 터뜨릴 것 같았다.

현재 동거하고 있는 남편 최익성 씨와의 사이에서 태어난 아이였다. 주현아 씨는 43세, 남편은 50세인데 그날도 주현아 씨가 술을 많이 마신 것이 화근이 되어 남편과 다투고 있었다.

"아이 엄마가 허구한 날 술에 취해 있어서 큰 딸이 애기를 볼 때가 많습니다."

최익성 씨는 이렇게 하소연을 했다.

최 씨는 중국음식점에서 주방장으로 일하는데 아내가 수시로 아이를 핑계 삼아 자신을 불러내는 바람에 일을 할 수가 없다며 화를 냈다.

주현아 씨는 첫째 남편과는 사별을 하고, 두 번째 만난 남편과는 술 때문에 또 헤어지고, 지금의 남편을 세 번째로 만나 살고 있었다.

"아내는 알코올 중독자라서 술 없이는 못 살아요."

이렇게 말하는 최 씨는 다행히 술을 잘 마시지 않는다고 했다. 하지만 그렇다고 언제나 술로부터 자유로울 거라고 장담할 수는 없었다.

"아이의 장래를 위해서라도 입양을 해야겠어요."

최 씨는 한숨을 쉬면서 이런 말만 되풀이했다. 아내에게 겁을 주기 위한 소리만은 아닐지도 모르겠다는 생각이 들었다.

정해영 씨는 쉰세 살로 강남구 일원동 먹자골목에서 음식점을 하고 있다. 그녀는 영업을 하면서 한 잔씩 홀짝홀짝 마시던 버릇으로 습관성 알코올 중독자가 되었다. 이틀이 멀다하고 신고를 하는 버릇도 있다.

"남편이 내 자동차를 가지고 도망을 갔어요."

"종일 영업해서 번 돈이 없어졌어요."

신고할 때마다 범인은 남편이다.

정해영 씨는 영업이 끝날 때쯤이면 혼자서 술을 즐겨 마신다.

이렇게 술을 마시는 것이 습관이 되었고, 술이 없으면 불안을 느낄 만큼 중독이 되어 버렸다.

지난여름 그녀의 남편은 병원에 입원시켜 치료를 받게 하려고 했다. 병원에 입원시키려면 가족들의 동의가 필요한데, 선뜻 동의해주는 사람이 없어서 애를 태웠다.

친정 식구들은 그녀의 알코올 중독 증세에도 불구하고 입원에 필요한 동의서를 작성해 주지 않았기 때문이다.

나중에는 보다 못한 친정어머니가 동의서에 도장을 찍어주어 병원에 입원시킬 수 있었다.

그런데 1개월 만에 퇴원한 그녀는 다시 술에 취해 친정어머니에게 폭행을 휘둘렀다. 친정어머니와 남편이 짜고 강제로 입원을 시켰다고 흥분하면서. 그리고 다시는 병원에 가지 않겠다며 칼로 위협을 하다가 남편이 칼을 뺏자 술병을 깨어 폭력을 행사하기도 했다.

 키친 드렁커Kitchen Drunker

주부들의 음주와 알코올 중독에 대해서는 2012년 6월 7일자 조선일보 기사가 유용한 참고가 될 듯하다.

여성들의 알코올 의존 증세는 예전부터 문제가 돼왔다. 이른바 '키친 드렁커 Kitchen Drunker'라고 하여 '부엌에서 혼자 술을 마시는 여성'이다.

키친 드렁커의 특징은 남편과 아이들이 모두 나간 직후인 오전에 혼자 술을 마신다. 최근 주부 알코올 의존증세 환자들은 가정 문제, 고부간의 갈등, 남편과의 불화, 신경과민, 갱년기 증상 등이 원인으로 꼽힌다고 한다.

손석한 연세신경정신과의원 원장(정신건강의학과 전문의)은 "최근 들어 40대 전후 여성이 술에 빠지는 경우가 늘고 있다."며 "예전엔 생활고나 부부갈등 등 현실적 문제로부터 도피하려는 수단으로 술을 택하는 전업주부가 많았지만, 요즘은 아무런 문제나 고민 없이 술을 마시는 경우가 늘고 있다."고 지적했다.

손 원장은 그 이유로 '생활의 여유와 호르몬의 변화'를 들었다. 40대는 경제적, 사회적으로 안정기에 접어드는 시기다. 아이들도 유년기를 벗어나 청소년기에 접어들 즈음이라 전에 비해 상대적으로 손이 덜 간다. 이처럼 생활에 여유가 생기고 자유롭게 쓸 수 있는 시간이 늘면서 술을 마실 수 있는 시간도 증가한다는 것이다.

술을 많이 마시고 취하다 보면 경제적으로도 손해를 입는 것은 기정사실이다. 그럼에도 영업상이나, 인간관계를 위해 빼놓을 수 없는 것은 술이다. 술을 마시는 사람들은 갖은 핑계를 대거나 스트레스 해소를 위해 술을 마신다. 그러나 분명한 것은 여성 음주 자들이 증가하고 있고 연령도 자꾸 낮아지고 있다는 것이다.

박시영은 열다섯 살의 가출소녀다.

그녀는 알코올 중독자인 아버지의 폭행을 견디다 못해 가출했다. 1년 전에 엄마가 집을 나가자, 아버지의 폭행은 더 심했다고 한다.

남동생을 친척집으로 데려갈 때 그녀도 집을 나왔다. 술·담배를 하면서 나쁜 유혹에 빠져 들기도 했다.

외관상 고등학생으로 보일 만큼 조숙해 있었다.

그녀는 엉뚱하게 핸드폰과 지갑을 날치기 당했다고 경찰에 신고를 했다. 경찰관들이 현장에 출동하여 범인을 잡기 위해 뛰어다니는 모습에 카타르시스를 느끼고 있었다.

서울 시내를 배회하며 술을 마시고 자작극을 벌인 것이다.

이상하게 생각한 형사가 추궁하여 자작극으로 밝혀냈다. 신고 건수가 20건이 넘었다. 갈 데가 없다는 그녀를 부녀보호소로 보냈다.

술은 남성보다 여성에게 훨씬 해롭다. 같은 양을 마셔도 여성이 더 빨리 취한다. 무엇보다 음주 연령이 낮아지고 있어 안타까움을 준다.

# 불륜, 세상에서 가장 아름다운 사랑?

"세상에서 가장 아름다운 사랑이 뭔지 아세요?"

유머 강사가 문제를 냈다. 수강생들의 대답은 가지각색이다. 앞좌석의 어떤 여성은 '모성애'라고 했고, 어떤 이는 '결혼하는 신혼부부의 첫사랑'이라고 말하기도 했다. 그렇다면 정답은?

"정답은 불륜입니다. 불륜이 세상에서 가장 아름다운 사랑인 이유는, 이룰 수 없는 사랑, 언젠가는 들통이 날 줄 뻔히 알면서도 남녀가 죽어라고 사랑하기 때문입니다."

믿거나 말거나 유머 강사는 이렇게 말했다.

40대 중반의 남녀가 크게 싸웠다. 박성호와 유연화는 내연관계에 있다. 대학 다닐 때 알았던 친구들이라고 했지만, 결혼 후에 만난 불륜인지 어떤지는 그 둘만이 알 것이다. 그들은 부모의 반대로 헤어졌거나 조건이 달라 결혼하지 않았는지는 몰라도 지금은 다른 사람과 결혼하여 살아오고 있다. 남자는 사업을 하는 사람이고, 여자는 전업주부인데 밤낮으로 만났다.

남자는 기천만 원의 돈과 선물 공세로 여자의 마음을 사로잡았다고 한다.

금년 4월부터 갑자기 유연화는 박성호와 만나는 것을 피했다. 돈을 빌려 쓴 게 부담이 되었을까. 아무튼 둘 사이에 문제가 생겼던 모양이다.

박성호의 말에 의하면, 유연화가 아예 만나주지 않았다고 한다. 초조해진 박성호는 수없이 연락을 해도 유연화와 연락이 닿지 않자 고의로 피한다고 생각했다.

술을 잔뜩 마신 박성호는 유연화의 남편에게 "당신 아내가 나한테 돈을 빌려갔으니 갚아 달라."고 했다. 그렇게라도 하면 유연화에게 연락이 될 것 같아서라고 말했다. 황당한 전화를 받은 유연화의 남편은 자기 아내가 무슨 짓을 하고 다녔는지 의심하게 되었다.

남편에게 박성호의 전화 내용을 전해들은 유연화는 머리가 하얘졌다.

가정이 평온할 리가 없었다. 며칠째 거의 매일 부부싸움을 하여 경찰도 자주 출동했다. 그런 사실을 모르고 박성호는 오늘 아예 끝장을 보기로 작정을 한 것 같았다. 소주로 병 나팔을 분 박성호가 자가용을 몰고 유연화가 살고 있는 강남구 개포동까지 그녀를 만나러 왔다. 그리고 유연화와 심하게 다투면서 주먹으로 뺨을 때렸다.

유연화도 지지 않겠다는 듯 똑같이 얼굴을 때렸다. 그러고도 화가 머리 끝까지 뻗쳐서 대담하게 112 신고를 했다.

경찰이 출동을 했는데도 두 사람은 분을 삭이지 못한 채 언성을 높이며 싸우고 있었다. 그러면서 맞은 부분에 대해 서로 처벌을 원했다. 폭행 현행범으로 체포한 두 사람을 사무실로 데려와서 조사를 하게 되었다.

"이 사람, 술 마시고 운전했어요."

유연화가 박성호를 가리키며 음주운전 사실을 알려주었다. 박성호는 극구 부인하며 발뺌을 하려고 했지만 병 나팔까지 불며 소주를 마신 그를 수사하여 자백을 받아내기는 쉬웠다. 충분히 조사를 한 다음 절차에 따라 음주 측정도 했다. 혈중알코올 농도가 0.123%였다. 남자에게 면허가 취소되었다는 사실을 고지하자 그때서야 두 사람은 정신을 차리는 듯했다.

이런 경우 음주운전과 폭행 부분이 병합 처리되어 경찰서로 인계된다. 홧김에 서방질한다는 말처럼, 유연화는 내연의 남자인 박성호가 술 마시고 운전한 사실까지 일러바쳐 벌을 받게 했다. 술에 취하면 비록 연인 관계라 하더라도 앞뒤 가리지 않는다. 그럴 정신이 없다.

정신 줄을 놓은 상태니까 앞뒤 가리지 않았겠지만 시간이 지나면 후회를 하게 마련이다. 불륜으로 만나도 잘만 하면 들키지 않을 것 같아도 끝까지 그런 사람은 본 적이 없다.

당장은 꽁꽁 숨어서 잘살아 가고 있는지 모르겠지만.

원영일 씨는 몇 년 전 공무원으로 정년퇴직을 했다. 그는 퇴직 후에 이렇다 할 일거리가 없자 건강을 다진다며 부지런히 산을 오르내렸다.

그러다 우연히 등산 뒤풀이 장소에서 자기보다 훨씬 어린 여성을 알게 되었다. 나중에 알고 보니 꽃뱀이었는데 그때는 몰랐다고 한다.

꽃뱀으로서는 '우연偶然'이 아니라 의도적으로 접근을 했을 테지만 순진한(?) 원영일 씨로서는 모르는 게 당연했다. 더욱이 뒤풀이에서 술도 몇 잔 걸쳤을 테니 올바른 판단을 하기도 어려웠을 것이다.

두 사람은 1년 가까이 불륜으로 지냈다. 원영일 씨가 퇴직하면서 숨겨둔 비자금 기천만 원과 아내 몰래 대출까지 받은 돈까지 1억 원 상당을 그 여자에게 털렸다. 그는 꽃뱀의 감언이설에 속고 말았던 것이다. 여자가 잠적하자 속병이 났지만 아내에게는 한 마디도 할 수 없었다. 바른대로 말했다가는 간통죄로 이혼당하고 쫓겨날 수도 있기 때문이다.

마흔다섯 살의 윤미정 씨는 미용실과 네일 아트를 운영하고 있는 어엿한 사업가였다. 커리어 우먼으로 자신감 넘치는 활동을 하다 보니 많은 사람들을 알게 되었다.

이런저런 사교 모임에서 술자리도 자주 가졌고, 불륜 관계를 맺는 남자도 생겼다. 처음 만났을 때는 '서로 부담감 없는 관계'가 전제 조건임은 말할 것도 없다.

그녀가 경찰에서 울먹이며 말했다.

"나쁜 사람에게 사기를 당했어요. 꼭 범인을 잡아주세요."

윤미정 씨는 강남에서 제법 큰 미용실을 인수하여 인테리어공사에 착수했다. 그런데 "누구보다 꼼꼼하게 해주겠다."는 불륜남의 말만 믿고 일을 맡겼다가 낭패를 당한 것이다. 일을 시키고 나서 이미 수억 원의 돈을 지불했는데 공사는 차일피일 미루어지고 돈만 자꾸 건너갔다.

아무래도 이상해서 불륜남의 뒷조사를 해 보았다. 알고 보니 전과가 여러 개 있는 사기꾼이었다. 돈을 되돌려 받기 위해 그를 찾았지만 잠적하고 난 뒤였다.

그동안 힘들게 벌었던 돈을 한 순간에 잃고 경찰서로 찾아와 불륜 관계였던 남자를 고소하며 윤미정 씨는 울분을 달랠 길 없어 울먹였던 것이다. 사기꾼인 그를 잡을 수 있을지도 모르겠고, 잡는다고 한들 돈을 찾기는 더욱 어려울 테고…….

또 다른 피해자 차미경 씨도 비슷한 경우다.

차미경 씨는 남편 몰래 제비 같은 유부남을 만나서 가지고 있던 돈 수억 원을 뜯겼다. 불륜 관계로 만난 두 사람은 강남에서 작은 오피스텔을 얻어 몇 년 동안 부부 행세를 하며 살다시피 했다. 그러다가 남자가 빌려간 돈을 갚지 않자 싸움이 시작되었고 차미경 씨가 파출소로 신고를 해왔다.

오피스텔 현장에 나가 보니 유부남이 차미경 씨를 죽이겠다고 폭력을 행사하여 방안은 난장판이 되어 있었다. 유부남은 정신이 오락가락할 만큼 술까지 마신 상태로 여자의 목을 졸라댔다. 차미경 씨는 숨이 막혀 죽을 것 같은 생각이 들자 술에 취해 목을 졸라대는 유부남의 손가락을 물어뜯어 엄지손톱이 홀라당 빠졌다.

생으로 손톱이 빠지면 얼마나 고통스러운지 당해보지 않은 사람은 모른다. 나도 어릴 때 친구들과 놀다가 넘어지면서 손톱이 빠진 경험이 있다. 너무 아파서 거의 죽는 줄 알았다.

유부남은 엄지손가락을 감싸고 어쩔 줄을 몰라 했다. 병원으로 전화를 걸어 수술할 수 있느냐고 물어보니 빠진 손톱을 가지고 와보란다. 유부남은 빠진 손톱을 정성스럽게 싸가지고 병원으로 갔다.

의사가 수술해서 손톱을 살리려고 하는지 유부남을 골탕 먹이려고 하는지 모르겠지만, 나는 속으로 얼마나 통쾌하던지 묵은 체증이 쑥 내려가는 것 같았다. 아마 현장에 함께 출동했던 동료들도 같은 생각이었을 것이다.

유부남은 구급차량에 오르면서도 눈물을 글썽이며 고통을 호소했다. 물론 자신의 잘못을 뉘우치는 눈물이 아니라 손가락이 아파서 글썽이는 눈물이었다. 술이 취해도 생으로 손톱을 뽑힌 아픔은 느끼는가 보다.

나중에 두 사람을 폭행과 상해죄 현행범으로 체포하여 경찰서 형사계로 인계했다.


지난해 여름, 40대 남자가 길거리에서 여자를 "개 패듯이 팬다."는 연락을 받고 현장에 달려갔다. 남자가 고함을 질러대고 있었다.

"내 마누란데 누가 뭐라는 거야? 이런 나쁜 년, 다른 놈과 바람이 났어?"

말투며 안색으로 봐서 술기운까지 있는 남자는 정말 무식하게 주먹질을 하고 있었다. 무식해도 그렇게 무식한 사람은 처음 봤다.

"아무리 그렇다고 해도 길에서 사람을 때리면 되겠어요?"

남자에게 이렇게 경고를 하고 처벌을 할지 말지 피해자에게 물었다. 엄청나게 맞은 여자가 오히려 처벌을 원하지 않는다고 했다. 얼굴에는 제법 상처가 났는데도 굳이 집으로 가겠다며 통사정을 했다.

남자와 여자는 부부가 아닌 내연 관계였다. 여자는 남편이 알까 봐 더 무서워했다. 남자는 내연녀가 또 다른 남자를 만났다고 화가 나서 주먹을 휘둘렀던 것이다. "첩이 첩질 하는 것은 못 본다."는 말처럼 남자는 눈에 불을 켜고 여자를 쥐 잡듯이 다잡으려고 했다.

여자가 불쌍했다. 자신의 남편에게는 한 마디도 지지 않을 것처럼 야무지게 보였지만 불륜의 남자에게는 소용없었다. 많은 사람들이 구경을 하자 안절부절 하며 혹시 아는 사람이라도 있을까 봐 걱정하는 눈치였다.

제발 집으로 돌아갈 수 있도록 도와달라고 하여 보냈더니 도망가다시피 뛰어갔다.


불륜, 한때는 사랑이라는 이름으로 만나지만 대부분 불행으로 마감된다. 그래서 불륜을 세상에서 가장 아름다운 사랑이라고 했는지도 모른다. 이루어질 수 없는 사랑이기에, 또 오래도록 지속되기가 힘든 사랑이기에.

한 가지 짚고 넘어가야 할 것은 비정상을 정상이라고 미화하는 것은 잘못이라는 사실이다. 그런 점에서 불륜과 음주는 같은 부류다.

아울러 "세상에서 가장 아름다운 사랑은 불륜"이라는 유머 강사의 말은 결국 정답 같기도 하지만 틀린 말이다.

# 가정폭력으로 무너지는 가정

이제는 가정폭력 사건에 경찰이 적극적으로 개입한다. 피해자가 원하면 현행범으로 체포하여 처벌을 한다. 당직 검사의 지휘를 받아 경찰서에서 조사하여 격리조치를 취하기도 한다.

가정폭력에 대한 처벌이 강화되고 경찰이 적극 개입함으로써 사건이 줄어들 것으로는 생각지 않는다. 이제 '부부싸움은 칼로 물 베기'라는 말은 기억에서 사라지게 될지도 모른다.

'불타는 금요일'이라고 붙여진 '불금'이면 신고 사건이 폭주한다. 특히 가정폭력 현장은 긴장감이 감돈다. 자칫 막다른 길로 갈 수도 있는 극한상황의 부부싸움이 대부분이기 때문이다.

밤 9시경, 관내 A아파트에서 "부부싸움이 났다."는 신고가 접수되었다. 우리는 싸움이 났다는 아파트로 출동했다.

40대 중반의 남자가 거실과 방안을 오가며 흥분을 삭이지 못한 채 담배 연기를 연신 빨아들이고, 아내는 아내대로 방안에서 남편에게 버럭버럭 소리를 질러대고 있었다. 옆 방안에서는 남자아이 세 명이 하얗게 겁에 질려 있었고, 그 중 2살배기 막내아이는 울고 있었다. 남편은 분을 삭이지 못해 아내를 향해 욕을 해댔다. 그는 나를 보자마자 하소연하듯 말했다.

"아저씨 저 여자가 부엌칼을 들고 위협했어요."

부엌칼은 벌써 치웠는지 보이지 않았다.

그러자 여자가 이렇게 되물었다.

"네가 나보고 죽어라고 해서 내가 어떻게 죽을까 하고 너에게 묻지 않았느냐?"

순간 나는 상황이 심각하게 돌아가는 것을 느끼고 진정을 시키려고 했지만 소용이 없었다. 나는 우선 동료에게 남자를 밖으로 데리고 나가 이야기를 좀 하도록 했다.

그의 아내가 나에게 싸우게 된 이유를 말하기 시작했다.

"제 남편이 매일이다시피 저를 무시합니다. 다른 여자들은 밖에 나가 돈을 벌어오는데 집에서 놀고 있다는 겁니다."

그러면서 아내의 결정적인 불만은 남편이 집안에서 술·담배를 하는 것이라고 덧붙였다. 특히 담배는 간접흡연이 나쁘다는 것을 잘 알면서도 아이가 셋이 있는 집안에서 아무렇지 않게 피운다는 것이다. 그러면서 하소연하듯 되물었다.

"술 마시고 와서는 밤늦게까지 '야동'을 보고 아침 늦게 일어나는 사람이, 아이 셋을 키우며 살림하는 저를 보고 돈 벌어 오지 않는다고 무시하는 게 말이나 돼요?"

아내는 좀처럼 화가 가라앉지 않는지 작정을 한 듯이 시댁의 흉허물까지 들춰내면서 이렇게 묻기도 했다.

"딸 넷을 키우며 술·담배를 하지 않은 부모에게 가정교육을 받은 저한테 문제가 있을까요, 아니면 아들 둘을 키우면서 매일 술·담배에 찌들어

싸움하는 것을 보고 자란 남편에게 문제가 있을까요?"

아내는 일요일마다 아이들을 다 데리고 교회에 나갈 정도로 열심히 종교 활동을 해오고 있었다. 연애결혼을 한 이들은 결혼 9년차라고 했다.

"식칼을 들고 협박을 한부분에 대해서 고소를 하는 것이니 처벌해 주세요."

남편이 이렇게 소리를 지르자 아내도 질세라 맞고함을 질러대며 원인이 남편에게 있다고 주장을 굽히지 않았다.

"네가 죽어라고 했기 때문에 어떻게 죽을지 물어 보려고 식칼을 든 것이지 너를 위협한 게 아니잖아?"

남편 말은 아내가 시부모를 너무 무시하는 데 불만이 많았다. 심지어 시부모 앞에서도 욕설과 고성으로 흉을 보기 때문에 미워할 수밖에 없다는 것이다. 남편은 남편대로 힘들게 돈 벌어오는 것을 인정해 주지 않는 데 대해 불만을 터뜨렸다. 집안청소가 되어 있지 않은 것도 불만이라고 한다.

서로가 서로에게 상처가 되는 말을 조금도 주저하지 않고 해댔다. 이미 상처가 깊어질 대로 깊어진 것 같았다. 서로가 강력하게 처벌을 원하기에 사건처리를 하여 경찰서로 인계했다. 아이들 때문에 자꾸 머뭇거려졌지만 당사자들이 사건 처리를 원하는 바라 어쩔 수 없었다.

신고를 받고 가정폭력 현장에 나갈 때마다 매번 심각성을 느끼곤 한다.

"거의 매일이다시피 싸우는 부모를 보고 자란 아이들이 뭘 배울까?"

이런 생각도 든다. 무엇보다도 아이들이 성장하면서 자연스럽게 배우는 것이 부모의 행동이고, 그것이 가정교육일 텐데 말이다.

이 부부는 돈이 없어 싸우는 것은 아닌 듯했다. 서로 '다르다'와 '틀리다'에 대한 생각처럼 성격이나 성장과정에서 오는 차이 같았다.

저마다 성장 과정이 다르고 남녀의 인격체가 다른데도 서로를 인정해주지 않는 데 문제가 있었다.

제3장

# 건강도 해치고, 일도 망치는 술

# 술에 장사 없다

여의도 국회의사당 앞의 어느 보신탕집에 국회의원 5명이 점심을 먹으러 갔다. 종업원이 반갑게 맞이하며 물과 물수건을 갖다 주고 큰소리로 주문을 받았다.

"닭? 개? 전부 개죠?"

주문을 받은 종업원이 주방에다 대고 큰소리로 외친다.

"3번에 개 다섯!"

어느 유머 강사가 들려준 이야기에 깔깔대며 웃었던 적이 있다.

술을 많이 마시고 취하면 개가 된다고들 한다. 실수를 하게 마련이라는 뜻이다. '술이 웬쑤!'라는 말은 실수한 술꾼들이 자신을 변명할 때 주로 내뱉는 멘트다. 그런데 따지고 보면 술과 친구가 되는 것도 그렇고, '웬쑤'가 되는 일 또한 올바른 선택은 아니다.

지난 수년간 매스컴에 오르내린 사건으로 술과 관련하여 기억에 남는 경우는 해외순방에 따라나섰던 청와대 대변인의 사례를 비롯하여 얼마든지 손꼽을 수 있다.

몇 년 전에 일어난 폭탄주와 성추행 사건을 보자.

어느 정치인이 국정감사를 하던 중 점심시간에 폭탄주를 마시고 일간지 여기자를 성추행한 것으로 알려졌다. 다음날의 자기변명이 또 한 차례 회오리바람을 일으켰다.

"폭탄주로 정신을 잃는 바람에 식당 아줌마인 줄 알고 어깨에 손이 올라갔다."

이번에는 전국의 식당 주인들에게 비난을 받고 끝내 당적을 옮겨야 했다. 그뿐만이 아니다. 여당의 어떤 젊은 의원은 술에 취해 말을 실수하는 바람에 국회의원직을 내놓기도 했다.

얼마 전 한 부장판사는 술에 취해 술값을 지불하라는 종업원을 폭행했다. 나중에는 경찰이 출동하자 경찰관에게도 주먹을 휘둘렀다. 비난이 일자 결국 그는 옷을 벗고 말았다.

술은 사회 지도층이라고 봐주지 않는다.

사회 지도층일수록 자기관리가 엄격해야 하는 것은 당연하지만, 술의 속성상 자칫 실수를 저지르기 십상이다. 따라서 누구든지 술에 취해서 도를 넘으면 패가망신하게 마련이다.

이런 실수는 술이 없어지지 않는 한, 또 음주문화가 새롭게 정립되지 않는 한 쉽게 사라지지 않고 계속 일어날 것이라는 사실이 안타깝다.


지난해 말, 우리 관할지역에 살고 있는 한 부장판사가 술에 취해 귀가하고 있었다. 칼바람이 부는 겨울의 늦은 밤, 호주머니에 손을 넣고 걸어오다 넘어져 얼굴에 큰 상처를 입었다.

마침 〈부러진 화살〉이란 영화가 이슈로 떠오르던 때였다.

부장판사의 가족들은 테러가 의심된다며 철저히 수사하여 범인을 잡아

달라고 부탁했다. 그의 여동생은 변호사인데 테러에 무게 중심을 둔다고 도 했다. 부근의 CCTV를 확인해 보니 비틀거리며 걸어오다 넘어지는 모습을 확인할 수 있었다.

부장판사는 많이 취한 상태였다. 사실 그 자신도 술을 많이 마셔서 넘어졌다고 진술했다. 무슨 일로 늦은 시간까지 술을 마셨는지는 몰라도 큰 상처를 입어서 문제가 되었다. 그런 상처를 입고도 출근할 수 있었을까 걱정될 정도로 많이 다쳤으니까.

테러니 어쩌니 해도 증거가 나오지 않는 걸 보면 술을 많이 마신 부장판사 자신의 잘못 때문이라고 할 수밖에 없다.

이 사건을 보고 술은 예외가 없다는 것을 다시 한 번 깨달았다.


술은 나이가 젊다고 비켜가지 않는다. 객기客氣라도 부릴라 치면 오히려 젊은 나이가 더 큰 실수를 불러오기도 한다.

강남구 대치동에 있는 유력 그룹의 인사팀에서 근무하고 있는 송종한 군의 경우를 보자. 입사한 지는 1년이 채 안 되었고, 집은 송파동이었다. 대기업에 취업했다고 그의 부모님이 외제차까지 사주었다고 한다.

부서 회식을 하던 날, 송종한 군은 자가용을 타고 귀가하다 교통사고를 냈다.

강남구 대치동 사거리에서 송파동으로 좌회전을 하다 앞서 가던 차를 추돌하여 많은 피해를 입힌 사고였다. 팀장이 대리운전을 하라고 돈까지 주었는데도, 다음날 출근을 편하게 하려는 생각에 "설마, 무슨 일이 있을라고?" 하며 겁 없이 음주운전을 했던 것이다.

대기업에서도 음주사고에 대해선 인사에 불이익을 주고 있기 때문에 어렵사리 들어간 직장을 접어야 했다. 취업했다고 사준 외제차와 술이 '웬수'

였다고나 할까.

　지난해 겨울밤에 일어난 젊은 기자의 성추행 사건도 술 때문이다.

　한 경제신문사에 다니는 서른한 살의 정성춘 기자는 회식 자리에서 술한 잔 낮게 걸친 다음 종로에서 택시를 타고 개포동까지 왔다. 사는 곳이 강남구 개포동이었기 때문이다. 택시기사는 여성이었다.

　"목적지에 도착했어요. 요금 내고 내리세요."

　택시기사가 이렇게 얘기했지만 그는 요금이 너무 많이 나왔다는 이유로 지불할 수 없다고 하여 시비가 되었다. 출동한 경찰관이 보는 데서도 마음대로 하라며 요금을 줄 수 없다고 큰소리를 쳐댔다.

　그때 택시기사가 다른 진술을 했다.

　"오는 도중에 이 사람이 제 가슴을 여러 번 만졌어요."

　결국 택시의 블랙박스를 확인하기에 이르렀고, 정성춘 기자는 성추행범으로 체포되었다. 잔뜩 취해서 비몽사몽인 그는 파출소에 와서도 술이 깨지 않았다. 결국 경찰서 형사계로 인계했는데, 나중에 술이 깨어 후회를 했을 때는 이미 때가 늦어 있었다.

　2009년 외교 망신 1위의 불명예 기록은 일본이 차지했다.

　G7 재무장관 회의 기자회견 중 나카가와 쇼이치 당시 일본 재무상이 술에 취한 듯 발언을 했던 것이다. 일본 재무장관은 낮술에 취해 횡설수설하는 장면이 나와 나라망신을 시켰다. 이 사람은 평소 애주가로 소문이 나 있던 사람이다.

　또, 술을 잘 마시지 못하는 사르코지 프랑스 대통령도 술 때문에 명예를 실추시켰다.

"푸틴 대통령과의 대화가 길어져서 늦었습니다. 어떻게 회견을 진행할까요? 제가 먼저 여러분 질문에 답할까요? 여러분이 제 질문 받으셨죠?"

2007년 G8 정상회담 기자회견장에서 이렇게 횡설수설하는 그의 인터뷰를 지켜보고 있던 프랑스 국민들의 심정이 어떠했을까?

술 때문에 뉴스거리가 되는 건 경찰관도 예외가 아니다.

총경 승진을 불과 몇 달 앞둔 경찰관이 대리운전으로 귀가했다. 대리운전자가 주차한 것이 마음에 들지 않는다고 자신의 아파트 주차장에서 직접 주차를 하다 사고를 냈다. 승진은 고사하고 강등이 될지도 모른다.

어느 총경은 같이 근무하던 의경이 전역을 앞두고 인사차 관사로 찾아오자 술을 마시고 성추행을 하여 직위가 해제되었다.

술에 취해 여성을 성추행한 다른 간부는 구속될 처지가 되었다.

그것 말고도 술값 시비로 싸움을 하다 징계처분을 받은 동료도 있다.

음주운전을 하다 사고가 나서 징계를 받는 동료의 사례는 종종 있는 일이다. 전부 술 때문에 이런 일이 일어난다.

전국 경찰서가 비슷할 것 같은데, 거의 매일 퇴근시간이면 경찰관들에게 '경찰 의무를 위반하지 말자'는 문자 메시지가 들어온다. 어떤 때는 지겹다는 생각이 들 때도 있다. "이런데도 술 마시고 사고를 낼까?" 싶을 정도다. 그럼에도 불구하고 누군가는 규정을 위반하고, 또 누군가는 음주운전을 하다 사고를 낸다.

기다렸다는 듯이 언론에 보도된다.

"경찰 왜 이러나?"

자주 이런 제목으로 언론에 보도되어 외울 정도다.

지금까지 숱한 경찰관들이 술 때문에 옷을 벗고 조직을 떠났다.

경찰 공무원으로 들어오기가 쉽지 않다는 것은 누구보다도 그들이 더 잘 안다. 가끔 처벌이 너무 가혹하지 않느냐고 하소연을 하기도 한다.

물론 10만 명이 넘는 조직원으로, 가지 많은 나무 바람 잘 날 없다고도 할 수 있다.

하지만 법을 집행하는 공무원이기 때문에 국민들은 당연하다고 말한다. 억울하다고 하소연하기 전에 공직자로서의 자세를 가다듬는 것이 우선일 것이다.

특히 술에 관한 한 엄정한 기준과 자기 통제의 지혜가 필요하다.

정년을 불과 2~3년을 앞둔 사람까지도 왜 술의 유혹에서 헤어나지 못하는 것일까? "설마!" 하는 자신감 때문이 아닐까?

자기 자신은 불운의 범주에서 제외시켜 놓고 생각하는 아전인수 식의 '설마' 때문이다.

또 무엇보다 술에 취하면 이성적인 생각을 할 수 없기 때문이다.

경찰청 통계로 볼 때 사건사고의 90% 이상은 술이 원인이라고 한다. 술을 많이 마시면 반드시 이성을 잃게 마련이다.

술에 장사 없고, 매에 장사 없다는 말은 너무나 익숙한 명언이다.

# 건강을 위협하는 음주 습관

의식적인 생각이나 노력 없이도 어떤 행동을 매번 반복하는 것이 습관이다. 습관은 과거 경험을 통해서 학습된다. 무엇이든 습관이 되면 편하다. 습관의 동력은 관성의 법칙일 성싶다.

담배를 좋아하는 사람들은 화장실에 갈 때 담배를 물고 근심을 해소하려고 한다. 습관이 되면 담배를 물지 않고 화장실 가기가 꺼려진다.

이와 같이 습관은 거의 반복적으로 이루어지기 때문에 더욱 편리한 듯 느껴진다.

인간은 나쁜 습관에 더 빨리 적응하도록 길들어져 있다. 사람이 살아가면서 술이나 담배, 게임 같은 것은 시키지 않아도 잘도 마시고 피우고 즐긴다. 감수성이 예민한 성장기의 아이들이라면 더할 나위가 없다.

그래서 자녀를 둔 부모들은 항상 걱정으로 지낸다. 습관習慣은 중독中毒처럼 심각하게 부정적인 결과로 발전하지 않아 그나마 다행이다. 그렇다고 습관의 함정을 벗어나기가 결코 쉬운 일만도 아니다.

생각이 바뀌면 행동이 바뀌고 행동이 바뀌면 습관이 바뀌고 습관이 바꾸면 운명이 바뀐다는 말도 있다.

그만큼 바꾸기가 어렵다는 사실의 반증이 아닐까 싶다.

어렵다고는 하더라도 나쁜 습관보다 나은 새로운 행위를 함으로써 나쁜 습관은 얼마든지 시정하고 바꿀 수 있다고 한다.

그래서일까? 벤저민 프랭클린은 "나쁜 습관을 힘들게 고치기보다는 좋은 습관을 새로 만들어 가는 게 훨씬 낫다."고 말했다.

술 마시는 것도 습관이 되면 중독이라는 나쁜 방향으로 이어지기 쉽다.

술을 좋아하는 우리 국민은 지난해 술을 얼마나 마셨을까?

한국주류연합회에 따르면 1인당 84병이라고 한다. 이 수치는 전체 술 소비량을 술을 마시지 않은 사람까지 포함한 전체 인구수로 나누는 식으로 계산된 것이다.

따라서 술 마시지 않은 사람을 빼고 술꾼들로만 계산하면 1인당 소비량은 훨씬 더 많아진다. 전체 국민을 기준으로 해도 평균 3~4일에 한 병 이상 마신 셈이니 술꾼들로만 치면 족히 2~3배는 넘을 것이다.

적정량의 술은 건강에 도움이 되기도 한다지만 적정량인 그 최소량이 잘 지켜지기는커녕 오히려 알코올 중독자가 늘어나고 있는 실정이다. 심장병 예방에 좋다고 한때 적포도주가 많은 사람들에게 사랑을 받았다.

소주를 많이 마시는 사람도 심장에 정말 좋을까?

미국의 한 대학에서 적은 양으로 마신 술이 심장에 미치는 영향에 대해 실험을 했다. 매일 한 잔 마시는 사람과, 일주일에 한두 잔 마시는 사람, 그리고 아예 마시지 않는 사람을 상대로 뇌혈관 뇌세포의 크기가 어떻게 변하는지 살펴보았다.

매일 한 잔 이상 마시거나 상습적으로 술을 마시는 사람의 뇌가 훨씬 줄어들었다는 것이다. 그만큼 술을 상습적으로 또는 많이 마시면 노화 진행이 빨라지고 치매에 걸릴 확률이 높다.

그러면 노화 진행을 억제하고 치매를 예방하거나 느리게 진행시키려면 어떻게 해야 할까? 책을 읽거나 창작활동으로 글쓰기를 하는 등 머리 쓰는 일을 하면 노화 방지와 치매 예방에 효과가 있다고 조언했다.

술을 좋아한다고 젊은 나이에 치매가 걸리는 사람은 거의 없다. 그러나 나이가 들수록 치매 증상이 나타나는 빈도가 높아진다. 일상생활에서도 술은 순기능보다 역기능이 훨씬 많다.


지난해 연극인 윤문식 씨가 어떤 방송 토크쇼에서 술에 대해 이야기하는 것을 듣고 깜짝 놀란 적이 있었다.

"서른대여섯 살 때 만리포해수욕장에서 소주 35병을 마시고 취해 쓰러져 있었다."

이게 말이나 되는 소리일까? 그가 정말 소주 35병을 마셨는지는 보지 않아서 잘 모르겠지만, 정말 믿기 어려운 이야기다.

개인적으로 술을 받아들이는 능력에 차이가 있고, 바닷가에서 마시는 술은 좀 덜 취한다고 하더라도 너무 많은 양이다.

에탄올의 치사량은 체중 1kg에 6.3ml로, 5백cc 생맥주 21잔, 와인 4병, 데킬라 6백87ml로 죽음에 이를 수도 있다고 하기 때문이다.

"그때 죽지 않고 지금까지 살아 있다는 게 얼마나 감사한지 모른다."

윤문식 씨가 마지막으로 한 이 말이야말로 진실이 아닐까 싶다.

'주폭酒暴'은 요즈음 경찰의 선결先決 목표 중의 하나다.

'주폭'은 술의 힘을 빌어서 상습적으로 폭력을 일삼는 사람을 일컫는다. 술을 마시지 않는다고 폭력을 행사하지 않는다는 뜻이 아니다. 술을 마신 후에는 훨씬 더 심해진다는 것이다.

따라서 주폭은 언제나 범죄의 빌미로 작용하고 있다.

술이 인간이 아닌 악마로 변하는 빌미를 제공하는 셈이다. 살인마 오원춘이 살인을 저지를 때도 그랬다. 그는 중국산의 독한 고량주를 한 병 이상 마시고 지나가던 부녀자를 범행의 표적으로 선택했다.

술은 그 순간을 잊게 하기도 하고 걷잡을 수 없이 잔인해지게 만드는 최면催眠 효과가 있다. 평소 잘못된 음주습관은 단순히 건강을 위협하는 수준을 넘어 죽음에 이르는 어처구니없는 계기로 작용하기도 한다.

몇 년 전에는 대학생들이 신입생 환영 오리엔테이션 행사를 하면서 세숫대야로 술을 마시게 하여 사망한 일도 있었다.

한때는 술 잘 마시는 사람이 일 잘하는 사람으로 인정(?)받던 때도 있었다. 과연 그럴까? 지금은 그렇지 않다고 생각한다.

제 아무리 술을 잘 마시는 사람이라도 술을 많이 마시면 필름이 끊어지고 영원히 깨어나지 못할 수도 있다. 그리고 누구든 술을 많이 마시면 반드시 취한다. 그리고 술에 취하면 실수나 실언을 하게 마련이다.

술로 인한 실수는, 술에 너그러운 우리나라에서나 통하지 외국의 경우엔 어림도 없다. 자제력이 없는 사람으로 낙인찍힐 뿐이다. 우리나라의 음주문화가 글로벌 스탠더드와 거리가 멀다는 것을 명심해야 한다.

이제부터라도 잘못된 음주문화를 벗어나 건전한 음주문화의 기준을 새롭게 세워야 한다. 음주 연령층이 점점 낮아지고, 여성들의 음주도 증가하고 있기 때문이다.

# 알코올 중독은 치매의 원인

치매는 현대인이 두려워하는 질병 중의 하나다.

평소에 미리미리 예방하면 치매의 진행을 늦출 수 있지만, 술을 많이 마시면 알코올성 치매에서 자유롭지 못하다.

술을 마시면 알코올이 우리 몸속의 혈액을 따라 간과 심장 등으로 전달된다. 간으로 운반된 술은 이산화탄소와 물로 분해된다. 분해되어 체내에 흡수되는 속도는 한 시간에 소주 한 잔 정도의 양이다.

취기가 오르면서 기분이 좋아지는 것은 뇌의 특정부위에서 엔도르핀이 분비되기 때문이라는 연구결과도 있다.

그래서 술을 마시고 나면 노래를 부르거나 고함을 지르는 등 평소에 하지 못하던 행동도 과감히 하게 된다.

술을 많이 마시면 소위 필름이 끊기는 '블랙아웃' 현상이 일어난다. 알코올로 인한 일시적인 기억상실이다.

만취상태에서도 의식은 살아 있어서 대화를 하고 평상시처럼 예전 추억을 이야기하거나 해묵은 일로 심한 말싸움을 벌이기도 한다.

하지만 다음날 술을 마시며 무슨 말을 했는지 어떤 일이 일어났는지 전혀 기억하지 못하거나 드문드문 기억할 뿐이다.

어떤 때는 어떻게 집으로 돌아왔는지 전혀 모른다.

블랙아웃은 술로 인해 뇌세포가 손상되었다는 것을 의미한다.

KBS과학카페 제작팀은 〈기억력도 스펙이다〉라는 주제로 실험을 했다. 전체 치매 환자의 10퍼센트 정도가 알코올성 치매에 해당된다는 사실을 전제로 다음과 같이 발표했다.

"알코올 중독은 알코올성 치매와 인지 능력의 상실을 일으키며 감정 조절이 어려워지고 폭력적인 성향으로 바뀌어 언어와 신체에 마비가 온다."

우리의 앞쪽 뇌를 의학적으로 전두엽 또는 이마엽이라고 부른다. 우리의 앞쪽 뇌는 운동기능, 말하기 능력을 비롯하여 미래에 대한 계획, 판단력, 감정조절, 의욕을 불러일으키는 기능, 단기기억 등 무궁무진한 기능을 담당한다. 특히 앞쪽 뇌중에서도 가장 앞 부위의 뇌를 의학적으로 전전두엽이라 부르는데, 바로 전전두엽이 인간을 인간답게 만드는 보석 같은 기능을 맡는다.

대한치매학회 회장을 역임한, 치매 환자 치료의 권위자인 나덕렬 교수는 그의 저서 『당신의 앞쪽 뇌를 깨워라』에서 음주의 심각성에 대해 다음과 같이 이야기한다.

"술을 마시면 앞쪽 뇌의 전깃줄이 끊어지는데, 술이 뇌세포를 망가뜨리는 이유는 여러 가지로 설명할 수 있다.

첫째, 비타민 부족증이 발생하고 이로 인해 이차적으로 뇌세포가 손상된다. 우리나라 도시빈민층과 농촌에 알코올 중독자들이 많다. 이들은 속

상해서 한 잔, 아파서 한 잔, 이런저런 이유로 음식을 먹지 않고 술만 마신다. 몸에 저장된 비타민 B, 그 중에서도 티아민(B1)이 다 소모되면 작은골과 기억센터가 손상되므로 몸을 못 가누고 기억장애가 나타난다.

둘째, 술이 직접적으로 뇌세포를 손상시킨다. 술을 만성적으로 마시는 사람들의 뇌 사진을 찍어보면 앞쪽 뇌가 위축되어 헐렁하게 보인다. 동시에 왼쪽 뇌와 오른쪽 뇌를 연결하는 신경다발(뇌 들보)이 확 줄어든다. 최신 MRI기법을 사용해서 만성적으로 술을 마시는 사람의 신경섬유(신경과 신경을 연결해주는 전깃줄 같은 것)를 촬영한 결과, 주로 앞쪽 뇌를 연결해주는 신경다발들이 손상되어 있음을 발견하였다.

결과적으로 술을 많이 마시면 앞쪽 뇌가 망가지게 된다는 뜻이다. 우리나라 사람들이 술을 많이 마시면 우리나라에서 '덜 앞쪽 형 인간'을 양산하게 마련이다."

애주가들도 술이 알코올성 치매 현상을 불러온다는 것을 알고 있다. 그럼에도 "설마 내가 치매에 걸릴까." 하고 안일하게 대처하고 만다. '설마'가 사람 잡는다는 말 그대로다.

술은 뇌를 위축시킨다. 알코올을 많이 섭취하게 되면 뇌가 쪼그라들고, 운동 기능을 조절하는 소뇌가 위축된다. 또한 뇌세포가 줄어들 수 있으므로 주의해야 한다.

술은 뇌세포를 파괴한다. 흔히 전문가들이 말하는 '블랙아웃'은 뇌가 우리에게 보내는 적신호다. 이러한 현상은 알코올이 대뇌 속의 해마에 영향을 미치기 때문에 나타난다.

우리 뇌에서 기억을 관장하는 해마는 정보입력, 정보저장, 정보를 출력하는 일을 하는데, 술을 많이 마시게 되면 해마의 업무수행 능력에 문제가 생긴다. 흔히 말하는 '단기 기억력 저하'다.

이후에는 깜빡깜빡하는 일이 점점 잦아진다.

이런 현상은 뇌세포가 이미 파괴되고 있다는 증거다. '블랙아웃'을 단 한 번이라도 경험했다면 인지 능력 저하가 시작됐다고 볼 수 있다. 이것이 반복되고 장기화되면 알코올성 치매는 물론 정신분열증까지 나타날 수 있다고 한다.

알코올 질환을 다루는 전문의들도 술을 마실 때가 있다고 한다. 이들은 어떻게 술을 마실까?

알코올 질환 전문의들의 술 마시는 방법을 알아보자.

첫째, 술 마시는 총량을 석 잔 이내로 할 것.

둘째, 술을 마시기 전에 반드시 음식을 먹을 것.

셋째, 급하게 마시지 말고 여러 번에 나눠 마실 것.

술을 마실 때는 이야기를 많이 하고, 술자리 모임은 2시간 이상 갖지 않는 것도 중요하다고 한다.

건강보험심사평가원 자료(2011. 10. 26)를 보자.

치매 환자 가운데 65세 이상이 15만 8408명으로 가장 많고, 뒤이어 60~64세 7335명, 50~59세 5329명 등이 뒤를 잇고 있다. 특히 최근 4년 사이 20대 1.5배, 30대 2.0배, 40대 1.7배 등 20~40대 젊은 층 치매 환자도 꾸준히 늘어나고 있는 추세라고 한다.

술과 치매는 어떤 관계가 있을까?

인천 참사랑병원 천영훈 원장은 이렇게 말했다.

"술을 계속 많이 마시게 되면 알코올성 치매뿐 아니라 코르사코프 정신

병이 나타날 수 있습니다. 이는 일종의 과대망상을 초래하고, 정상적인 사회관계를 불가능하게 만들 수도 있습니다. 이 증상이 심한 한 환자는 자신이 대기업 회장이며 수백억 원을 들여 다른 회사를 인수해야 한다고 말하는 사람도 있는데, 문제는 당사자가 이를 정말로 믿고 있다는 것입니다."

술을 좋아하는 사람이라면 치매가 얼마나 무서운지 새겨들어야 할 말이다.

# 술은 건강과 장수에 어떤 영향을 미칠까?

건전하게 술을 마시려면 얼마를 마셔야 할까?

세계보건기구가 권고한 위험 음주 기준은 남성은 하루 5잔, 여성 4.5잔이다. 여기서 1잔은 맥주 250㎖ 1컵, 소주 50㎖ 1잔, 와인 100㎖ 1잔에 해당된다. 하지만 보통 남성은 2잔, 여성은 1잔을 초과할 경우, 건강에 위험 신호가 오는 것으로 알려져 있다.

음주가 유발하는 대표적인 질병은 간암, 대장암, 췌장암이다. 현재 우리나라 40~50대의 사망률 1위는 간암이며, 한국인의 대장암 발병률은 세계 4위다. 이러한 암들은 과음, 폭음 등 음주와 밀접한 관계가 있다.

2010년 보건복지부의 지역사회건강 통계 결과 서울 시민의 고위험 음주율은 15.7%(남성 24.4%, 여성 4.9%)이다. 남성 4명 중 1명, 여성은 20명 중 1명이 고위험 음주자이다. 이 조사 결과는 우리 사회의 폭음과 과음 문화의 심각성을 드러냈다.

소리 없이 다가오는 대장암, 유방암, 식도암 등도 과도한 음주가 일으키는 암으로 알려져 있다. 음주와 흡연이 암의 주요 유발 인자라는 게 전문가들의 공통된 지적이다.

여름철에 술을 마시면 더 빨리 취한다.

여름철에는 말초 혈관이 확장되기 때문에 같은 양의 알코올을 섭취해도 혈중 알코올 농도가 더 빨리 높아지기 때문이다.

또 땀을 많이 흘리기 때문에 알코올의 이뇨작용으로 술 한 잔을 마시면 그보다 훨씬 많은 수분과 미네랄, 전해질이 빠져나가서 탈수현상이 나타날 수도 있다.

더위를 식히기 위해 공복에 마시는 술은 피해야 한다.

알코올의 대부분은 소장에서 흡수되는데 공복에 술을 마시면 위에서 소장으로 빠르게 흡수되어 장기 손상의 원인이 되기도 한다.

과도한 알코올 섭취로 발생하는 숙취 현상은 두통, 피곤, 구토 등으로 나타나는데 알코올 분해과정에서 생기는 아세트알데히드 때문이다.

잘못된 음주 습관을 가진 사람도 처음에는 대부분 긍정적 요인을 기대하고 술을 마신다. 자신의 울적한 기분을 풀고, 다른 사람과 친분을 다지기 위해 마시는 것이다.

그런데 한 잔 두 잔 마시다 보면, 마침내 사람이 술을 마시는 것이 아니라, 술이 사람을 마시는 지경에 이르러 끝내는 자신을 망치고 주위 사람들에게 폐해를 끼치게 되는 것이다.

이런 일이 반복되는 사람은 단연코 술을 끊어야 한다.

한 마디로 술 마실 자격이 없는 사람이기 때문이다.

많은 국민들이 마시는 술의 긍정적인 면을 꼽는다면 이루 다 말할 수 없을 정도로 많다.

그러나 술의 부정적인 면은 술의 긍정적인 면보다 훨씬 더 많다.

술은 적절히 마셔서 좋은 점만 취한다면, 생활을 더없이 윤택하게 할 수도 있다. 그러나 지나치게 마셔서 자신의 건강을 해치고 다른 사람에게까지 폐해를 끼친다면, 술보다 더 나쁜 것도 없다.

"아침에 일어서지 않는 사람에게는 돈을 빌려 주지 마라."

은행가들이 흔히 말하는 서양 격언이다. 한 마디로 정력이 약한 사람에게는 돈을 빌려 주지 말라는 뜻이다. 남성은 발기가 안 되는 것을 가장 두려워한다. 일명 '임포텐스'라고 하는 발기부전증인데, 특히 '조조발기早朝發起'를 가장 원한다. 새벽녘에 음경이 발기되면 남자들은 일단 녹슬지 않고 살아 있음을 확신하게 된다. 그래서 남자들은 '조조발기'를 건강한 남성을 상징하는 전유물로 숭배하는지 모른다.

술을 많이 마시거나 담배를 많이 피우는 사람의 남성력에 대한 흥미로운 연구발표가 있다. 미국 툴란 대학의 연구팀이 〈미국 역학 저널〉에 발표한 연구 결과에 따르면 담배를 많이 피면 필수록 발기부전의 발병 위험은 더욱 커지는 것으로 나타났다.

그들의 연구가 특히 주목할 만한 까닭은 한국인과 유전적으로 매우 가까운 중국인 남성을 대상으로 했기 때문이다. 실험에 참가한 중국인 남성은 모두 7천 6백여 명으로 35~74세의 나이에 당뇨나 심혈관 질환이 없는 건강한 사람들이었다.

남자들이 담배를 가장 즐겨 피우는 곳 중의 하나가 술자리일 것이다. 술은 서너 잔 마셨을 때 오히려 성기능이 활성화될 수도 있다. 그렇지 않아도 각종 스트레스를 달고 사는 현대인들이기 때문이다. 스트레스를 해소하기 위해 술 담배를 즐겨 찾지만 너무 즐기다 보면 발기부전으로 성기능에 장애를 겪을 수 있다.

의사들이 발기부전의 예방을 위해 지키라고 강조하는 기본 생활수칙 5가지다.

> 1. 규칙적으로 운동을 하고 건강 체중 유지할 것.
> 2. 담배를 끊을 것.
> 3. 술을 멀리 할 것.
> 4. 규칙적인 성관계를 할 것.
> 5. 혈당 관리를 잘할 것.

과음이 남성들의 성기능을 악화시키는 주범이라는 사실에 대부분의 주당들도 공감할 것이다. 소량의 술은 긴장한 두뇌신경세포를 이완시켜 성생활에 다소의 도움을 주기도 한다지만, 문제는 과음過飮이다.

과음하면 알코올이 성생활을 관장하는 교감신경을 마비시켜 성적 쾌감을 느끼지 못하게 한다. 과음하면서도 성생활을 자신하는 일부 남성들은 술을 조루방지책이라 떠벌이기도 하지만, 술이 사정을 다소 지연시켜주는 효과가 있을지 몰라도 근본적인 해결책은 아니다.

만성적이고 습관적인 음주는 발기신경 기능에 이상을 초래한다. 술을 즐기는 남성들의 대부분이 발기신경 장애를 합병한 발기부전증 환자라는 사실이 이를 입증한다.

술을 좋아하는 안동기 씨는 알코올성 신경기능 이상에 의한 발기부전증으로 진단을 받았다. 한동안 술을 끊어 봤는데도 발기 기능이 회복되지 않아 병원을 오가며 장기간 치료를 받았다. 치료를 받으면서 알코올이 고환을 위축시켜 크기가 줄어들기도 한다는 사실도 알게 되었다.

술은 이처럼 약이 되기보다는 독이 된다. 음주 습관상 육체적으로나 정신적으로 도움이 될 정도로 적당하게 절제하며 즐기기는 어렵기 때문이다. 아내와 함께 오래도록 로맨틱한 분위기를 연출하려면 과음은 삼가는 것이 좋다.

갈수록 담배를 피우는 사람들의 설 곳이 줄어들고 있다.

이제 웬만한 식당에서조차 담배를 피우지 못한다. 그럼에도 담배와 결별하지 못하는 사람들에게 더 나쁜 소식이 있다. 담배는 음경동맥을 좁아지게 하여 발기부전을 유발하는 원인이다.

5년 동안 하루 한 갑씩 담배를 피운 사람은 담배를 피우지 않은 사람보다 음경동맥 폐색증이 나타날 가능성이 15% 정도 더 높다고 한다. 20년 동안 하루에 한 갑씩 피우면 그 가능성은 72%까지 급격히 증가한다.

또 고지방과 고高콜레스테롤은 좁아진 음경동맥에 더 심한 손상을 입힌다. 콜레스테롤이 혈관에 침착되어 혈액순환을 방해함으로써 발기부전이 생기기 때문이다.

적절한 양의 술은 성욕을 자극하기도 하지만, 음주량이 많아지면 오히려 중추신경을 억제하여 일시적인 발기부전 현상을 일으킬 수 있다.

뿐만 아니라 만성적으로 술을 많이 마시면 간장이 손상되어 여성 호르몬이 증가하고, 이 호르몬이 성욕 억제작용을 하여 발기부전을 일으킨다.

계절과 상관없이 과음한 술꾼들이 질펀하게 토해 놓고, 신발을 베개 삼아 길바닥에서 잠을 자는 경우를 많이 본다. 특히 여름이면 술에 취한 사람이 길거리에 쓰러져 있다는 신고가 절반 이상이다.

무슨 일이든 '과유불급過猶不及'이라고 했다. 지나치면 모자라는 것보다 못하다. 술이든 담배든 지나치게 즐기면 남성력을 잃을 수도 있다.

(랜덤하우스 『나는 남자다』 참조)

# 필름 끊어질 때까지 마시지 마라

술 마시고 필름이 끊어지는 것을 블랙아웃black out이라고도 한다.

블랙아웃이란 전기가 부족해 갑자기 모든 전력 시스템이 정지하는 현상, 즉 대규모 정전사태를 두고 이르는 말이다.

블랙아웃은 우리 몸에서도 일어난다. 과음으로 술 마시는 동안 일어났던 일을 기억하지 못하는 것도 블랙아웃이다. 정전일 때는 눈앞이 캄캄하지만 과음하면 머릿속이 캄캄해진다.

여름철이면 차를 잃어버렸다는 신고가 부쩍 많이 접수된다.

지구대나 파출소에서는 차량 도난 신고를 하면 즉시 접수해주지 않는다. 일단 다시 잘 생각해보고 혹시 주차한 곳을 모르는 것은 아닌지 기억을 환기시켜 보라고 권하는 동시에 주변에서 찾는 일부터 먼저 한다.

대부분의 신고자는 잘 찾아보라는 말에 펄쩍 뛰며 화를 낸다. 차량을 잊어버려 불안한데, 그리고 혹시 모를 인사 사고라도 나면 책임질 것이냐며 오히려 책임責任 운운한다.

그럴 때면 나는 또 나의 오랜 경험과 직감을 시험한다.

틀림없이 술을 많이 마시고 주차시킨 장소를 모르고 신고하는 것 같기 때문이다. 그렇다고 신고를 받아주지 않을 수도 없는 노릇이라 환장할 지경이다.

서류를 만들어 경찰서 형사계로 사건을 이첩시킨다. 무더위와 싸워가며 밤낮 순찰을 돈 동료들의 얼굴이 떠오른다. 열심히 순찰한 게 헛수고처럼 되었기 때문이다.

'애써서 근무하고 도난 사건 발생이라?'

힘이 빠진다.

술을 많이 마시면 반드시 '블랙아웃' 사태가 벌어진다. 필름이 끊어진다는 말이다. 술을 많이 마신 것도 그렇고 성격이 급해 신고부터 하고 보자는 것도 문제다.

사실 신고한다고 즉시 찾아지는 것이 아닌데도 말이다.

의사들은 블랙아웃이 치매癡呆의 전조 증세로 발전한다고 말한다. 치매가 얼마나 무서운지 우리는 너무나 잘 안다.

'망각'을 신이 내린 선물이라 해도 치매라는 말은 싫다.

치매가 어떤 것인가? 대부분의 기억을 잊어버리는 것이다. 사랑하는 아내나 남편, 자식까지도 잊어버린다. 심지어 자신의 이력도 모른 채 살아가야 한다. 그게 치매다.

치매는 뇌세포가 파괴되고 뇌가 쪼그라들어 생기는 무서운 질병으로 지나친 알코올도 원인의 하나라고 한다.


"치매 위험이 높은 유전자를 가진 사람이 한 달에 한 번 이상 음주하는 경우 치매에 걸릴 확률은 7.4배나 증가한다. 어느 누가 '나는 치매에 걸릴 확률이 없다.'고 단언할 수 있겠는가? 무엇보다 한두 잔으로 끝내는 사람을 나는 본 적이 없다. 한 잔이 두 잔이 되고, 두 잔이 여러 잔이 되다가 나중에는 술이 술을 부르는 형국이 되고 만다. 그래도 모임이나 회식 자리에서 술을 마셔야 한다면, 한두 잔으로 정리해야 한다는 절대 절명의 원칙을 지켜주기 바란다.”

『뇌美인』이라는 책을 쓴 강남삼성병원 치매 전문의 나덕렬 교수의 말이다.

밤샘 근무를 하다 보면, 술에 취해 신발을 베개 삼아 노상에서 잠자는 사람을 자주 만날 수 있다.

더위를 식힌다는 핑계로 마음 놓고 마신 탓일 것이다. 바로 블랙아웃 된 사람들이다.

이제 블랙아웃 된 술꾼들을 깨우는 일은 현장 경찰의 일상이 되었다.

핀란드에서는 술에 취해 쓰러져 있는 사람은 이유 불문하고 곧장 유치장으로 보낸다. 그리고 술이 깰 때까지 보호한 다음 무거운 벌금을 매긴다.

# 직장생활 위협하는 잘못된 술버릇

물에 빠져 죽는 사람보다 술에 빠져 죽는 사람이 훨씬 많다.

30대 초반의 정종철 씨는 국내 유수의 기업그룹 입사 2년차의 회사원이다. 직장의 동료들과 회식을 하고 나서 택시를 타고 집으로 왔는데 요금 문제로 시비가 붙었다.

그는 헤비급 레슬링 선수로 출전해도 될 만큼 덩치가 컸다.

술에 취해 아버지뻘 되는 기사와 시비를 벌이고 있는 정종철의 모습은 한눈에도 만취 상태로 보였다.

그는 분당에서 택시를 타고 강남 대치동까지 무사히 잘 왔다. 그런데 무슨 불만이 있었던지 택시비는 주지 않고 택시를 발로 걷어찼다.

"왜 그래? 택시가 무슨 죄가 있다고 걷어차?"

택시기사가 이렇게 소리를 지르자 이번에는 택시기사를 폭행하려고 했다. 택시기사는 그의 주먹질을 피하기 위해 후진을 하다가 뒤쪽 범퍼가 가로수에 부딪치면서 사고가 났다. 얼마나 세게 부딪쳤던지 갈아 끼워야 할 만큼 범퍼가 부서져 있었다.

현장에서는 해결이 되지 않을 것 같아 파출소로 동행했다.

"불친절하여 택시비가 아깝다."

정종철은 파출소에 와서도 분이 풀리지 않는지 택시기사에게 욕을 해대며 폭행하려고 다가가기도 했다.

택시기사는 기사대로 목적지까지 안전하게 왔는데 요금은 고사하고 자식뻘 되는 사람에게 욕을 얻어먹었다며 억울해했다.

더 큰 싸움을 방지하려고 정종철과 택시기사를 분리시켜 놓았다. 이럴 때 파출소 안은 그야말로 아수라장이 된다. 연속극 〈왕가네〉 할머니가 말했듯이 "6·25 때 난리는 난리도 아니다."

대부분의 지구대나 파출소는 협소하고 오래된 건물이다 보니 시비가 붙은 두 사람을 분리시켜 놓아도 불안할 때가 많다.

파출소 안에서도 폭행사건이 일어나는 것은 순식간이다.

어느 파출소에서는 가해자가 옷 속에 칼을 품고 들어가 피해자를 찔러 사망하게 했던 일도 있었다. 그래서 사건으로 들어온 가해자와 피해자를 떼어 놓는 것은 필수다.

어쨌든 택시 안의 블랙박스에 모두 기록되어 있기 때문에 정종철이 잘못했다는 증거로는 충분했다. 택시기사는 "어린놈에게 욕을 얻어먹었다."며 처벌하기를 원했다.

술에 취한 사람이 자신을 안전하게 목적지까지 데려다 준 택시기사를 왜 폭행하려고 할까?

상식적으로는 이해가 가지 않을 때가 많지만 거의 매일 택시기사와 술 마신 승객의 시비는 빠지지 않고 신고가 된다.

평소 직장에서 받는 스트레스를 술로 풀고 불만을 택시기사에게 터뜨리는 것일까?

이런 일이 자주 일어나다 보니 택시기사들도 나름대로 요령이 생겨 손님을 골라 태운다. 손님과 시비를 하지 않으려는 의도다.

정종철의 경우엔 그야말로 '술에는 장사 없다.'는 말을 실감할 수 있다. 아무리 덩치가 커도 사람을 때린 부분에 대해서는 처벌을 받아야 한다. 그를 현행범으로 체포하여 경찰서 형사계로 인계했다.

대부분의 사람들은 술을 기분 좋게 마시고 즐겁게 마무리하려고 한다. 하지만 술에 취해 정신을 잃는 사람도 부지기수다. 자신이 무슨 행동을 했는지조차도 모른 채 말이다.

술을 많이 마시고 정신을 잃는 일은 남녀노소는 물론 노숙자나 신도 부러워한다는 '사士'자들이나 따로 없다.

술 취한 사람이 쓰러져 있다는 신고를 받고 또 다른 현장으로 달려갔다. 50대 초반으로 보이는 남자가 말쑥한 정장 차림으로 쓰러져 있었다. 가방 속의 서류 뭉치가 반쯤 보였고, 제과점 빵 서너 개가 찢어진 봉투 사이로 흘러나와 있었다.

중요한 서류를 분실했다면 어떻게 되었을까? 생각만 해도 아찔했다.

얼마나 술을 많이 마셨던지 거의 초주검 상태가 되어 있었다. 흔들어 깨워도 도무지 일어날 기미가 보이지 않았다. 혹시 연락되는 곳이 있을까 하여 휴대전화를 찾으려고 호주머니를 뒤져보았다. 휴대전화는 어디서 잃어버렸는지 찾을 수 없었다.

지갑을 꺼내 명함을 보니 강남의 병원에서 근무하는 의사였다. 나중에야 알게 되었지만, 이름만 대면 금방 알 수 있는, 학술지에도 논문이 실릴 만큼 촉망받는 전문의였다.

스트레스를 받아 그랬는지는 몰라도 의사가 술에 취해 정신을 잃었던 것이다. '의사도 술을 마실 수 있고, 취해서 쓰러질 수도 있다.'는 생각을 해보았다.

겨우 연락처를 알아냈지만 아무도 전화를 받지 않았다. 할 수없이 이름을 조회해서 그가 살고 있는 관할 지구대에 그가 술에 취해 쓰러져 있다는 연락을 취해달라고 부탁했다.

겨우 연락이 된 가족은 그를 택시에 태워 보내달라고 했다. 우리는 택시 기사에게 안전하게 데려다 줄 것을 부탁했다. 택시번호와 그의 집 전화로 연락을 하여 택시가 도착되면 다시 연락해 달라는 당부도 아끼지 않았다.

30분가량 시간이 흘렀을까?

의사의 딸이 아빠가 잘 도착했다며 고맙다고 전화를 해왔다.

직장에 갓 들어간 사회 초년생들도 음주 습관이 문제될 때가 있다. 퇴근해서 술을 마시다 긴장이 풀려 정신을 잃는 경우다.

노정훈 씨는 35세로 S그룹 1년차 회사원이다. 그는 술에 취해 택시를 타고 오면서 택시기사와 몸싸움을 벌였다.

서로 한 대씩 때리고 맞았다고 진술했다. 입술이 터져 피가 줄줄 흘렀다. 기사도 머리에 혹이 났다며 씩씩거렸다.

많이 다친 것은 아니지만 서로 처벌을 원했다. 특히 택시기사가 강력하게 처벌을 원하여 경찰서 형사계로 인계했다.

객관적인 입장에서는 술이 원인이다. 술을 마시고 폭력을 휘두르니 기사로서는 감당이 되지 않았던 것이다.

택시기사도 사회생활을 썩 잘하는 사람으로 보이지는 않았다.

술에 많이 취한 손님한테 사사건건 시비를 걸었던 것 같았다. 택시비를 주지 않고 도망치는 사람도 있는데 노정훈 씨는 술에 취한 탓인지 택시비 외에 5만 원이나 더 주었다. 그런데도 택시기사는 술 취한 사람과 시비를 계속했다. 한참 어린 사람에게 욕을 들은 탓일 게다.

노정훈 씨는 술을 얼마나 많이 마셨는지 고통스러운 표정을 지으면서 계속 냉수를 찾았다. 술 냄새는 가까이 갈 수 없을 정도로 지독했다. 냄새만으로도 머리가 아픈데 독한 술을 마신 당사자는 얼마나 고통스러울까?

술이 원인이 되어 형사 입건되면 나중에는 대부분 후회를 한다.

노정훈 씨도 그렇게 후회할 것이다. 이번 사건이 회사로 통보되어 불이익 처분을 받을지도 모른다.

요즘 일부 대기업에서는 술로 인한 사건으로 통보되는 사람에게 불이익 처분을 주고 있기 때문이다.

매번 사건 현장에서 느끼는 바는 술은 정말 잘 배워야 한다는 것이다. 술을 스스로 절제할 수 있다면 그나마 다행이다. 잘못된 술버릇이 개인이나 사회에 얼마나 심각한 폐해를 끼치고, 건전한 음주습관이 얼마나 소중한 덕목인가를 생각하게 된다.

직장 구하기가 쉽지 않은 마당에 노정훈 씨가 불이익 처분은 받지 않았으면 하는 바람이다.

# 술 때문에 조직 떠나는 경찰관도 있다

잘못된 술버릇 때문에 동료 한 사람이 조직을 떠났다.

어느 조직이든 조직의 수장은 구성원들을 잘 이끌기 위해 신상필벌을 강조한다. 곰곰이 생각해보면 당사자에게는 땅을 치고 한탄할 일이지만 자업자득自業自得이다.

세상 이치는 '콩 심은 데 콩 나고, 팥 심은 데 팥 나는 법'이다. 술 때문에 인생 망가지는 상황은 반면교사로 삼기에 충분했다.

40대 중반의 경찰관 김종설에 관한 이야기다. 그는 술을 무척 좋아했다. 김종설의 첫 손에 꼽는 술버릇은 취하면 끝을 보고 마는 스타일이다. 매번 2차 3차로 이어지다가 외박을 하는 날도 종종 있다.

이런 생활이 자주 발생하자 가정불화로 이어져 아내와 별거하고 있었다. 어쩌면 그의 별거는 결혼 전부터 있었던 잘못된 술버릇이 원인인지도 모른다.

김종설은 오랫동안 지구대나 파출소에서 근무해오고 있었다. 몇 해 전

어느 여름날, 그는 근무를 마치고 퇴근 중이었다. 그런데 그는 집으로 퇴근하지 않고 술집으로 향하고 있었다. 고향 친구를 만나 술을 마셨다고 한다.

친구와 헤어져 집으로 돌아오면서 엉뚱한 생각이 떠올랐다. 그가 평소 출퇴근하면서 보아두었던 어느 여성의 집이 생각났던 것이다. 술에 취해 정신이 없을 것 같은데도 용케 그 집을 찾아갔다. 여름철이라 창문을 열어두고 잠을 자는 것도 기억해두었던 모양이다.

새벽 2시경, 2층인데도 쉽게 창문으로 넘어 들어가 성폭행을 하려고 했다. 잠자다 놀란 여성은 강하게 임신을 했으니 돌아가라고 애원했다.

너무나 완강한 피해자의 행동에 당황하여 그는 머뭇거리다 그 집을 도망쳐 나왔다.

그러자 피해자는 112 상황실에 신고를 했다. 신고를 받고 출동한 경찰관이 피해자를 만나 피해 상황과 용의자 인상착의를 무전으로 다른 근무자들에게 전파하고 있었다. 그 시간이 약 30분가량 되었던 것 같다.

그때까지 술이 덜 깬 김종설은 자신의 잘못을 뉘우치고 피해자에게 사과하면 용서가 된다고 생각했다. 어쩌면 다시 욕정이 생겨 그랬는지는 몰라도 피해자 집으로 되돌아오고 있었다.

그는 한사코 피해자에게 사과를 하면 용서해줄 것이라고 했지만, 사과한다고 쉽게 끝날 일이라면 지나가던 소도 웃을 일이다.

피해자는 현장에 다시 나타난 김종설을 보자 "저 사람이 범인이다." 하고 경찰관에게 지목을 해주었다. 그는 멀리 도망가지 못하고 붙잡혔다.

당시 피해자는 임신해 있었는데 정신적으로 충격을 받았다며 엄청난 합의금을 요구했다.

다행히 형제 중 한 사람이 많은 합의금을 지불해주어 구속은 면했지만 옷을 벗어야 했다.

만약 그가 나쁜 술버릇이 아니었다면 그런 실수를 하지 않았을 것이고 경제적 손실이나 명예를 훼손하는 일은 물론 조직을 떠나는 일 또한 일어나지 않았을 것이다.

술은 중독성이 강하다. 알코올 중독자들이 술을 끊지 못하는 것도 중독성 때문이다.

종종 경찰 동료가 술 때문에 옷을 벗거나 불이익 처분을 받게 되었다는 보도를 접한다. 대부분은 술에 취해 실수로 일어난 일들이다.

그럴 때면 본인은 물론이고 조직의 상사나 동료들 마음 또한 편하지 않다. 어렵게 직장에 들어와서 한순간의 실수로 조직을 떠난다면 그보다 억울한 일도 없을 것이다.

무엇보다 나쁜 일로 매스컴에 오르내리는 것을 좋아할 구성원은 없을 터이니 더욱 그러하다.

누구든 술을 자제할 수 없다면 금주禁酒하는 게 최고다. 술을 끊으면 실수할 일은 거의 없다. 그런 까닭에 건전한 음주문화를 강조하지만 정작 애주가들은 금세 잊고 만다.

누구에게나 일진이 나쁜 날이 있다. 그런 날은 조심해야 한다.

몇 달 전, 경찰 동료 윤용길은 비번 날 친구들과 만나 술을 마셨다. 평소에도 술을 좋아하는 그는 "설마 별일 있을라고?", "지난번에도 괜찮았는데 이번에도 괜찮겠지!" 하는 생각으로 망설임도 없이 음주운전을 했다.

윤용길도 직장에서 거의 매일 '음주운전=범죄행위', '음주운전을 하지 맙시다.' 하는 문자 메시지를 받고 교양교육도 받았다. 그런데도 '설마' 하는 생각으로 음주운전을 하고 말았다. 잘못된 술버릇 때문이리라.

윤용길은 음주운전을 하고 가다 불행히도 그가 근무하는 지구대 부근에서 교통사고를 냈다. 피해자는 영업용 운전기사였다.

얼른 영업용 기사가 원하는 피해 액수보다 몇 배로 더 많은 합의금을 주고 합의서를 받아냈다.

신고를 받고 출동한 경찰관은 잘 아는 후배였다. 경찰관 지시대로 음주측정을 하기 위해 경찰서까지 순순히 따라갔다.

하지만 담당부서에 사건을 인계하기 직전에 도망을 갔다. 피해자에게 충분한 합의금을 주었으니 문제가 없을 줄로 착각했던 것이다.

후배 경찰관도 선배 경찰관이 도망을 가리라고는 상상도 못했다. 결국 감사과에서 알게 되어 조사가 시작되었다.

본인이야 말할 것도 없지만 억울하게 후배 경찰관까지 중징계를 받고 원하지 않는 지방으로 전출을 가야 했다.

경찰관이 술을 마시고 일으킨 사건사고는 범죄행위로 취급하여 엄하게 처벌하고 있다.

윤용길은 강도 높은 조사 끝에 파면처분을 받았다. 억울하다며 소청심사위원회에 감경사유를 원했지만 받아들여지지 않았다. 40대 중반의 나이에 아무런 대책도 없이 직장을 그만두어야 했다.


애주가들은 술을 끊지 못하는 핑계가 많다.

핑계 같지 않은 핑계 때문에 술을 끊지 못하는 셈이다. 그렇지만 술을 끊기로 결심한다면 얼마든지 실천할 수 있다.

20대 중반부터 술을 마시기 시작했던 나도 40대 중반까지 술을 끊지 못했다. 보통 앉은 자리에서 소주 서너 병은 쉽게 마셨다. 그렇게 술을 좋아하던 내가 술을 끊은 지 8년째다.

이제 술은 전혀 마시지 않는다.

술을 마시지 못할 만큼 건강이 나빠져서도 아니다. 술 마시고 실수하는 사람들을 수없이 보았고, 한 번의 실수로 목숨을 잃는 일까지 보고 나서부터 단주斷酒를 결심하게 되었다.

그리고 무엇보다 술로 인해 패가망신敗家亡身하는 사람들이나 사건사고를 많이 취급해서 그렇다.

근무하는 날이면 거의 매일 술 취한 사람들로 바쁘다. 지독한 술 냄새에다 정신을 잃고 갈지자걸음을 걸으며 횡설수설하는 행동을 보면서 술을 끊기로 한 결심이 더욱 굳어졌다.

가끔 잘못된 술버릇 때문에 인생이 망가지는 생생한 모습을 볼 때면 금주禁酒를 선택한 것은 백 번 잘한 일이라고 생각된다.

직장생활을 시작하여 정년퇴직하기란 여간 힘 드는 일이 아니다.

하지만 건전한 음주습관만 실천해도 얼마든지 정년을 채우는 데 성공할 수 있다.

# 술 취해서 찾는 사우나 찜질방은 황천길

연말연시가 시작되면 행사와 모임이 많아진다.

행사와 모임에서 빠지지 않는 게 술이다.

술을 많이 마시고 나면 숙취 해소를 위해 꼭 찜질방이나 사우나를 찾는 사람들이 있다. 찜질방이나 사우나를 다녀와야 숙취 해소가 된다고 하는 중독자들도 있다.

사우나에 가면 대개 냉탕과 온탕을 부지런히 넘나들며 숙취를 해소하려고 한다. 대단히 위험한 일이다.

사우나를 하다 119 구급차로 강남삼성병원 응급실에 실려 오는 환자들에 대한 신고가 종종 접수되곤 한다.

사우나에서 냉탕과 온탕을 부지런히 넘나들다가 혈압이나 심장마비로 생명을 잃는 사람들도 있다.

며칠 전 정오가 다 되어갈 무렵 신고가 되었던 사건도 그랬다.

자영업을 하고 있다는 40대 중반의 남자 이야기다.

신고자의 말에 의하면, 술에 취해 사우나 건조실에서 땀을 뺐다고 한다.

그러다가 온탕과 냉탕을 번갈아가며 다녔다고 한다.

그가 평소 혈압이 높은지는 잘 몰라도 온탕에서 나와 냉탕으로 몇 번씩 오고 갔던 게 심장마비를 일으켰던 것이다.

사우나에 같이 있던 사람이 119 신고를 하고 응급조치를 취해가며 병원으로 후송했지만, 안타깝게도 생명을 잃고 말았다.

"술 마시고 찜질방이나 사우나에 가지 말라."

술 좋아하는 사람들이나 사우나 좋아하는 사람들이 반드시 새겨듣고 명심해야 할 말이다. 누구나 목숨은 하나뿐이고 소중한 것이니까.

사우나에서 영업하는 사람들도 술 취한 사람들은 당연히 출입시키지 말아야 한다.

술 취한 사람은 들여보내지 말라는 수칙을 잊고 출입을 시켰다가 나중에 일이 발생하고 나서 후회해 봐야 소용이 없다.

제4장

# 지갑을 털고 목숨도 노리는 술

# 과음하면 반드시 경제적 피해 입게 마련이다~

술을 많이 마시면 어떤 식으로든 피해를 입게 된다.

건강이 나빠지거나 재산상의 손해를 볼 수도 있다. 그래서 항상 술은 적당히 마셔야 한다. 술에 취해 '욱' 하는 호기로 술 계산을 하고 나면 한 달을 알뜰하게 살아야 한다. 한 달 넘게 카드 결제한 돈을 갚기 위해 용돈을 아껴 써야 아내의 잔소리에서 해방될 수 있다.

술이라면 자다가도 벌떡 일어날 정도로 술을 좋아하는 동료 이주만이 있다. 그는 퇴근 후에 술을 마시고 귀가하다 앞으로 꼬꾸라져 얼굴에 상처를 입었다. 본인은 집안일을 하다 상처를 입었다고 둘러댔지만 믿는 사람은 아무도 없다. 벌써 여러 번 있었던 일이기 때문이다. 상처가 아물 때까지 고생하는 것은 당연했다.

2013년 8월 중순, 도난 신고가 접수되었다. 자영업을 하는 38세의 김수용 씨는 전날 손님을 접대하느라 술을 많이 마셨다. 평소 주량이 소주 2병 정도인데 그 자신도 소주와 맥주를 섞은 폭탄주를 얼마나 마셨는지 기억이 나지 않는다고 했다.

술을 마시고 시간이 너무 늦어 집으로 들어가지 못하자 술집 부근에 있는 찜질방으로 갔다.

평소에 잘 가지 않던 곳인데 술에 취해서 갔던 것이다.

찜질방에서도 만취한 손님은 출입을 시키지 않는다. 그런데도 그가 하도 통사정을 해서 입장을 시켰다고 한다. 김수용 씨는 들어오자마자 옷을 벗고 수면실에서 잠을 잤다.

그 다음날 점심때가 돼서야 술에서 깨어났는데, 손목에 차고 있던 옷장 키가 없어졌다.

솔직히 번호도 몰랐다. 그때서야 정신을 차리고 카운터에 가서 전후 사정을 설명하고 마스터키로 모든 옷장을 열었다.

자신의 옷장을 확인하고 보니 지갑과 핸드폰이 없어졌다. 지갑 안에 돈이 많이 들어 있었다고 했다.

도저히 감당이 되지 않자 112신고를 했던 것이다.

목욕탕 탈의실이나 공중 화장실 같은 곳에는 법으로 CCTV를 설치할 수 없도록 되어 있다. 그래서 경찰에 신고를 한다 해도 찜질방 탈의실은 당연히 CCTV로 확인할 수 없다.

경찰서 과학수사반에서 지문 채취를 했지만 지문이 나올지 의심스럽다. 술을 많이 마신 것을 후회해봐야 버스 지나가고 나서 손들기다.

취객을 상대로 노리는 범인은 또 있다. 변태성욕자들이다.

다른 곳은 몰라도 강남에 위치한 24시간 사우나 수면실에서는 자주 변태성욕자들의 범행이 일어난다.

술에 취해서 정신없이 잠을 자고 있는 손님이 성추행을 당했다고 하는 신고가 자주 접수된다고 하면 "설마 그럴까?" 하고 생각하는 사람들이 있겠지만, 종종 성추행을 당했다는 피해자의 신고에 따라 사건 처리를 하곤 한다.

세상에 공짜가 없는 것처럼, 술도 너무 많이 마시면 경제적으로든 육체적으로든 틀림없이 피해를 입게 마련이다. 뻔히 알면서도 비슷한 사건이 끊이지 않는 것은 술의 중독성 때문이다. 중독성 때문에 술을 끊지 못하고 거의 매일 술에 취하는 사람들이 있는 것이다.

술을 잘 다스리느냐 못 다스리느냐에 따라 인생이 달라진다.

자제할 수 없다면 끊는 게 훨씬 낫다. 매번 술 때문에 발생되는 사건사고는 술을 절제하지 못해서 일어날 때가 많다. 우리가 술을 절제해야 하는 이유는 술로 인하여 일생을 망칠 수도 있기 때문이다.

나는 현장 근무를 하면서 많은 사람들이 술 때문에 패가망신하는 것을 보았다. 그때마다 건전하게 술을 마시거나 절주를 해야 한다고 느낀다.

술을 끊는 것이 가장 좋겠지만, 도저히 끊기가 어렵다면 적어도 건전한 음주습관이라도 가져야 한다.

술로 인한 폐해는 너무나 크다. 오죽하면 현장에서 근무하는 경찰관들마저 취객이 가장 겁난다고 하겠는가.

사실 취객들에게 시달리기가 싫어 현장 근무 대신 내근內勤을 선호하는 경찰관도 있다. 대부분 '술이 원인'이라고 생각한다.

술이 원인이 되어 가정이 파탄 나는 사람은 또 얼마나 많은가.

그럴 때마다 가슴이 아프다. 어느 알코올 중독자의 가정에서는 의사와 짜고 진단서에 암이라는 진단을 내려 몇 년간 술을 끊게 만든 경우도 있다. 얼마나 가족들이 고통을 받았으면 이렇게라도 하여 술을 끊게 하려고 했겠는가.

알코올 중독으로 피해를 입어 본 가족만이 그 고통을 알리라.

늦은 밤이나 새벽에 일어나는 교통사고는 대부분 음주로 인한 사고다.

새벽 2시쯤 강남 일원역 앞에서 교통사고가 났다는 신고가 접수되었다. 현장에 출동해 보니 승용차 뒤쪽 범퍼가 앞쪽 운전석과 거의 맞닿을 정도로 붙어 있었다.

사고를 낸 사람은 영업용택시 운전사였다.

택시기사는 술에 취한 여성 손님을 경찰서 부근에서 태우고 송파동으로 가기 위해 좌회전을 하고 있었다.

술에 취한 피해 운전자는 삼성동에서 술을 많이 마시고 집 부근까지 와서 근처의 도로에서 다왔다는 안도감에 갑자기 정지를 했던 모양이다. 뒤따라오던 택시가 미처 보지 못하고 진행속력으로 충돌하여 큰 사고가 발생했던 것이다.

피해자는 술집에서 일하는 사람인데 장사가 잘 되지 않아 마셨다고 했지만 그건 핑계로 들렸다. 술을 마시고 운전하는 행위는 다른 사람을 죽음으로 몰고 갈 수도 있다.

음주측정을 했더니 혈중 알코올 농도가 0.210%로 면허 취소보다 훨씬 높은 만취상태에 해당하는 수치였다.

그는 영업 운운했지만 그 자신의 피해보다 택시에 탄 승객이 더 많이 다쳤다. 음주 운전은 본인은 물론이고 상대방에게도 피해를 입힌다.


경찰청 통계에 의하면 최근 3년간 11월의 월평균 음주사고는 2,673건으로 평월 월평균 2,371건보다 12.7%(302건) 증가하는 등 11월은 연중 음주교통사고가 가장 많이 발생하는 시기라고 한다.

지난해 음주 교통사고는 29,093건이 발생하여 815명이 사망하고 52,345명이 부상을 당했다고 한다. 2011년에 비해 발생은 2.2%, 사망은 11.2% 부상은 2.4% 증가했다.

술자리가 잦은 연말연시를 맞아 음주 교통사고를 예방하고 불특정 다수를 죽음으로 내모는 중대 범죄인 음주운전을 근절하기 위해 매년 11월 22일 오후 9시부터 다음해 1월 29일까지 '연말연시 음주운전 집중단속'을 실시한다.

금요일은 전국적으로 일제히 음주운전 단속을 실시하고, 음주 사고가 잦은 곳, 유흥가, 주요 등산로, 찜질방 등 음주운전이 빈발하는 취약지에는 시간 구분 없이 아예 공개하고 단속한다. 또 과음으로 숙취宿醉가 해소되지 않은 출근시간대 음주단속을 불시에 실시하여 음주운전을 하면 언제든지 단속된다는 분위기를 확산시킬 예정이다.

전남지방경찰청 소속 고속도로 순찰대에서는 보슬비가 오는 대낮에 불시 음주 단속을 했다고 한다. 고속도로 톨게이트로 나오는 운전자 9명이 취소나 정지에 해당하는 술을 마셔 적발된 일도 있다.

비단 그 구간만 술을 마시고 운전했을까.

지금 이 순간에도 술을 마시고 운전을 하다 귀한 생명을 잃거나 다치는 사람이 발생하고 있다.

한국전쟁으로 생긴 사망자보다 음주운전으로 사망한 숫자가 훨씬 많다는 통계 발표는 한 번쯤 새겨들어야 한다.

# 일확천금 꿈꾸어도 한 방은 없다

한 번쯤 일확천금을 꿈꿔 보지 않은 사람 어디 있으랴.

경제가 어려울수록 로또복권 당첨을 꿈꾸는 사람들이 많다.

그래서일까? 경마나 게임, 로또복권 같은 사행성 사업은 불경기인데도 매년 흑자라고 한다.

일정한 직업이 없는 53세의 홍상철 씨는 간암 환자다.

10년 전 교사인 아내와 이혼을 했다. 건설업을 하던 그가 TV경마에 미쳐 돈을 몽땅 잃고 술로 세월로 보내며 집으로 들어가지 않던 중 합의이혼을 했던 것이다. 홍상철 씨에게는 딸이 하나 있는데, 육군사관학교를 졸업하고 현재 군 복무중이다.

문제는 홍 씨의 술버릇이었다. 홍 씨는 경마 게임을 하기 위해 게임이 있는 날이면 어김없이 TV경마장에 나온다. 경마가 거의 끝날 시간이면 술에 취해 자주 신고가 되기도 했다. 관할 지구대에서 경찰관들이 출동하여 형사 입건을 시킨 적도 서너 번 있었다.

검찰에서는 말기 간암 환자임을 참작하여 언제나 불구속으로 처벌하곤 했다. 홍 씨는 당연히 술을 마시면 절대 안 된다는 의사의 경고를 받은 상태다. 무엇보다 생활습관과 음식습관에 대해 특별한 관리를 해야 한다. 그는 건강이 나빠서 그런지 조금만 마셔도 금방 취해 이성을 잃는다.

홍상철 씨는 한때 촉망받던 회사 사장이었다. 몇 년 전 사업이 잘 될 때 친구의 권유로 TV경마장을 찾았다가 빠져들었다. 친구의 말대로 처음 몇 번은 재미도 보았다.

대부분의 도박이 그렇듯이 처음 몇 번의 미끼에 걸려들게 되면 헤어날 수 없다. 그도 TV경마라는 구렁텅이에 깊이깊이 빠져들어 갔다. 결국은 회사 공금에 손을 대기 시작했고 부도가 나자 거의 폐인이 되었다.

홍 씨의 하루 일과는 오로지 경마와 술 마시는 일이었다. 주량은 늘어만 갔다. 그의 말대로 잃은 돈 200억 원을 찾기 위해 수없이 시도를 했지만 욕심이 들어간 그의 마음을 아는지 매번 돈을 잃었다.

그는 신림동의 한 옥탑 방에서 사는 친구 집에 얹혀살고 있다. 그 친구도 경마에 미쳐 재산을 다 탕진하고 혼자 사는 남자다. 홍 씨는 일상의 고통을 잊기 위해 술에 취해 사는 것이 낫다고 했다.

그날 신고 사건도 조그만 식당에 들어가 술과 안주를 시켜먹고 계산을 하라는 종업원에게 "음부를 보여주면 준다."고 하자 주인이 화가 나서 신고를 했던 것이다.

출동한 경찰관들도 홍상철 씨가 자주 공무집행 방해와 무전취식, 모욕죄 등으로 입건된 사실이 있다는 것을 잘 안다.

"내가 왕년에 무엇을 했다.", "누구누구를 잘 안다."는 식의 정신 이상자 같은 말을 믿는 사람은 아무도 없다.

홍 씨는 공무집행 방해죄와 무전취식으로 체포되자 후회를 했다. 군 복무중인 딸이 보고 싶다는 심정을 토로하는 아버지의 마음에서 '측은지

심惻隱之心'이 들었다.

"지금이라도 건강관리를 잘하여 살아야 하지 않겠어요?"

"이미 늦었네. 형제들과 가족도 모두 등을 돌렸어."

체념하듯 먼 곳을 바라보는 홍 씨의 표정이 더욱 쓸쓸해 보였다.

이동해 씨는 나와 같은 팀에서 근무하는 사람이다.

그는 지난 해 간암으로 판정받아 종합병원에서 수술을 받았다. 수술도 잘되었고 경과도 좋아 막 퇴원할 것 같았다. 그러다 복수가 차면서 재입원을 하여 위험수준까지 갔고 의사는 간이식 외에는 방법이 없다고 했다.

하지만 마땅히 간 이식을 해줄 사람이 없어 생을 포기하는 단계까지 갔다. 그러다 중국에서 간 이식 수술을 받는 행운을 얻었다.

수술은 성공적으로 끝났다. 1년 동안의 병원 생활을 마치고 지금은 정상근무를 하고 있다.

"하루하루를 기도하는 심정으로 살아갑니다."

왜 아니겠는가? "괜찮을까?" 하는 동료들의 염려에도 불구하고 그는 정상적인 업무를 하며 새로운 삶을 살아가고 있다.

누구에게나 목숨은 하나다. 이동해 씨는 이제야 평소 건강관리를 게을리 했던 것을 뒤늦게 후회하면서 꼬박꼬박 건강을 챙긴다.

많은 사람들이 인생에서 한 방을 바란다.

그러나 아쉽게도 한 방은 없다.

"심은 대로 거둔다."는 말처럼 인생은 철저한 '인과응보'다. 사람들은 항상 때늦은 후회로 땅을 치며 눈물을 흘리기 일쑤다. 간암 말기 환자였다가 새로운 삶을 살아가는 이동해 씨의 모습에서 교훈을 얻는다.

누구에게나 한 번뿐인 인생이기에 의미 있고 가치가 있는 삶을 살아가야 한다는 것을 느끼면서 말이다.

경찰 업무는 항상 술 취한 사람들과 관련이 될 때가 많다.

이런 사건을 처리하느라 정작 순찰이나 방범 근무는 엄두도 내지 못할 때가 있다. 분명 술에 문제가 있는데도 특별한 대책이 없어 안타깝다. 그렇다고 술에 취해 쓰러져 있는 사람들을 처리하지 않을 수는 없다.

술꾼들에게 공권력이 투입되었다면 벌금이나 세금을 물게 하는 방법이든지, 일정한 시간이 지나면 술을 팔지 못하게 하는 제도 같은 게 필요하다. 또 술에 취한 사람에게 술을 팔았을 때는 돈을 주지 않아도 된다는 법이라도 있었으면 좋겠다.

미국 매사추세츠 주에서는 술을 팔 때 술 한 병이라도 꼭 갈색 봉투에 넣어준다. 다른 사람은 그 안에 무엇이 들었는지 알 수 없다. 그리고 일요일은 술을 팔지 않는다. 아무 상점에서나 술을 팔지 않고 허가증을 가진 상점에서만 팔 수 있다. 길에서 술에 취해 비틀거리면 어디선가 경찰이 온다.

우리는 왜 술을 마시지 못해 미친 사람처럼 날뛰며 살아야할까?

이해가 가지 않는다. 반드시 잘못된 음주문화를 개선하기 위한 획기적인 대책이 있어야 한다.

어쩌면 이것도 선진국으로 가는 통과의례의 하나일 수 있다.

술 취한 사람 중에는 정장 차림도 자주 목격된다. 아마 이들 중에는 직장 회식이나 모임에서 술을 마신 사람도 있을 것이다. 이들 중에는 공무원으로 보이는 사람도 더러 눈에 띈다. 관할에 공무원 아파트가 있다 보니 공무원들도 가끔 신고가 된다.

술은 제대로 배워 마시든지 아니면 절주를 하거나 금주를 해야 한다. 주당들은 가끔 내가 '단주斷酒'를 했다고 하면 어떻게 사회생활을 하느냐며 이상하게 생각한다. 그들은 인간관계를 원만하게 잘하기 위해서 금주禁酒를 하지 못한다는 핑계를 댄다.

하지만 술이나 담배를 하지 않고도 살아가는 데 아무런 문제가 없다. 술과 담배를 해야 인간관계가 원만해진다는 것은 술꾼들의 허울 좋은 핑계일 뿐이다.

내 자식도 그렇고 자식의 자식들도 술 담배는 일체 하지 않았으면 좋겠다. 술에 취한 여성들의 추한 모습을 본 적이 있는가?

술에 취해 주정을 하는 모습은 김태희 같은 미녀배우라도 싫다. 안타깝게도 그런 행동을 하는 여성 술꾼들을 자주 본다.

여성도 술에 취하면 남자가 술에 취해 하는 행동과 별반 다르지 않다. 비틀거리고, 고함지르고, 입에 담지 못할 욕설을 하고, 걸쭉하게 토하고, 질펀하게 싸놓은 현장 또한 자연스럽게 목격할 수 있다. 아예 의식을 잃고 지독한 술 냄새와 함께 괴로워하는 모습도 함께 말이다.

30대 중반의 어떤 여성이 술에 취해 택시를 탔다. 목적지를 말하고 택시기사에게 우회전, 좌회전 하며 소리를 지르고 욕설을 해댔던 모양이다.

덩치가 일본 스모선수 같은 택시기사인데도 혹시나 성추행으로 오해받을까 봐 신고를 했다고 한다. 도저히 운전을 하지 못할 정도였다니 짐작이 간다. 요금도 싫으니 택시에서 내리게 해달라고 부탁했다. 불안해서 운전을 하지 못하겠다고 하는 데야 뭐라고 하겠는가.

술꾼들의 습관은 대개가 대동소이하다. "다시는 술을 마시지 않겠다."고 다짐을 해도 그 다음날이면 술 생각이 난다는 것이다. 그래서 "술시가 되어 술을 마시면 술술 넘어간다."고 하는 모양이다.

# 일억 원짜리 소주 한 병

　몇 년 전 경찰서장이 추석 명절을 앞두고 '결의서'라는 유인물을 나누어 주었다. 자세히 읽어 보니 음주운전을 하지 말자는 각서 형식의 '다짐서' 였다.

　경찰청 통계에는 설 명절 연휴 나흘간 크고 작은 사건사고가 있었다. 서울경찰의 음주운전 사고도 있었다고 한다. 평소에도 가끔 경찰관 관련 음주사건이 보도되곤 했다.

　경찰관도 스트레스를 많이 받는 직업이다. 그렇다 보니 경찰 수뇌부나 상사의 신신당부에도 불구하고 술을 마시거나 사고를 일으킨다. 회식 자리에서 술을 마시고 운전하다 사고가 나는가 하면 식사를 하면서 술을 마시고 운전하다 사고가 난 일도 있다.

　"처녀가 애를 낳아도 할 말이 있다."는 속담처럼 사고를 낸 음주 운전자에게도 할 말은 다 있다. 핑계 없는 무덤이 없다는 말이다.

　그렇더라도 경찰관의 음주에 대해서는 제재가 가혹하다. 누가 뭐래도 경찰관은 법을 집행하는 사람이기 때문이다.

법을 집행하는 사람이 위반해서는 안 된다는 이유로 그 처벌 또한 다른 공무원과는 비교가 되지 않을 정도다.

2년 전, 서울지방경찰청 소속의 어느 경찰서에서 근무하는 젊은 경사가 특별승진을 했다. 중요한 범인을 특별히 많이 검거하여 경위로 승진했다. 생각만 해도 가슴 뛰는 일이 아닌가. 동기생들보다 훨씬 앞서가는 듯했다. 동기생들은 아직 경장이나 경사에 머물고 있는데 상위계급으로 진급을 했으니 얼마나 기분 좋은 일이겠는가.

그의 집은 성수동이었는데 강남권 경찰서로 출퇴근을 했다. 평상시대로 출근을 하여 특진 신고식을 마쳤다. 퇴근을 하고 팀원들과 회식을 했다. 기분이 좋아 한 턱을 냈던 모양이다.

음식점에서 동료들과 삼겹살 안주로 소주를 코가 비뚤어지도록 마셨다. 차는 어차피 대리운전으로 갈 것이기 때문에 문제가 되지 않았다.

마침 친하게 지내는 고향 친구가 한 잔 더 마시자고 연락이 와서 2차로 술을 마시고, 3차로 노래방까지 갔다. 세상에 태어나서 그날만큼 행복한 날도 없었으리라. 직장에서 최고의 선물은 승진이 아니던가. 그는 그날부터 경찰 간부로 승진되었다는 생각에 가슴이 부풀어 있었다.

동료들과 친구도 그동안 힘들고 어려웠던 순간들을 기억하며 격려해주었다. 집에 있던 아내도 축하한다는 전화를 해왔다. 아내는 술을 많이 마시지 말라는 당부도 잊지 않았다. 그는 아내에게 "오늘만큼은 좀 마셔야 되지 않겠냐?"고 하면서도 "알았다."는 약속을 했다.

3차 노래방에서 나왔을 때는 새벽 3시가 훌쩍 지나고 있었다. 내일 출근 걱정도 되고 이쯤에서 헤어지자는 팀장의 말에 다들 따랐다. 팀장은 운전을 절대 하지 말라고 하면서 차를 가지고 온 직원들에게는 일일이 대리운전을 시켜주었다. 그도 대리기사를 불러주어 대리기사가 운전하는 자가용을 타고 퇴근을 하고 있었다.

성수대교를 거의 지날 즈음 그의 나쁜 술버릇이 나오기 시작했다. 괜히 대리기사와 시비를 벌였다. 대리기사가 운전을 잘못한다니 어쩌니 하며 기분이 상할 만한 발언을 했던 것이다. 대리운전자는 요금을 팀장에게 먼저 받았기 때문에 화가 나서 차를 세우고 가버렸다.

순간, 그는 난감했다. 한참을 기다려도 대리운전자가 오지 않자 운전석으로 다가갔다.

집에서 불과 얼마 떨어지지 않아 조심스럽게 운전을 하면 괜찮을 것 같다는 생각이 들었던 것이다. 그래서 그는 조심스럽게 운전을 해갔다.

"술 마신 사람이 운전을 하고 갑니다."

멀리서 지켜보던 대리운전자가 112신고를 했다. 그렇지 않아도 그는 운전을 하고 가다가 신호대기 중이던 차량을 늦게 발견하고 급정거를 하다가 충돌하고 말았다.

큰 피해는 입지 않았지만 경찰서에서 음주측정을 한 결과 면허취소 수치가 나왔다. 그리고 그는 다음날 징계처분으로 해임조치를 받았다.

그렇다면 이 경찰관은 어떤 불이익 처분을 받았을까?

그는 징계처분으로 해임이 되었고, 억울하다며 변호사를 선임하여 행정소송을 벌였다.

평소 투철한 근무 성적을 감안해서 어렵게 복직이 되었지만 1년 6개월 동안 주변의 따가운 시선을 받았다. 본인과 가족들의 심적 고통은 말할 것도 없고, 경제적으로도 약 1억 원 상당의 막대한 손실을 입었다.

---

· 교통사고 합의금 1천만 원

· 변호사 수임료 (1·2심) 4천만 원, 성공보수 1천만 원

· 보수를 못 받고 생활비 지출 약 4천만 원 등

---

술 마시고 나서 무심코 핸들을 잡는 바람에 1억 원 상당의 소주를 마신 셈이라고 때늦은 후회를 하였다고 한다.

【계급별 경제적 손실액 : 60세 정년 기준, 단위 백만 원】

| 구분 | 총경<br>(57세,<br>28호봉) | 경정<br>(55세,<br>25호봉) | 경감<br>(52세,<br>23호봉) | 경위<br>(47세,<br>20호봉) | 경사<br>(40세,<br>18호봉) | 경장<br>(37세,<br>11호봉) | 순경<br>(28세,<br>8호봉) |
|---|---|---|---|---|---|---|---|
| 파면 | 3억6천 | 4억9천 | 7억7천 | 9억4천 | 12억2천 | 11억6천 | 11억4천 |
| 해임 | 2억1천 | 4억1천 | 6억4천 | 8억 | 11억1천 | 10억6천 | 10억4천 |
| 강등 | 7천2백 | 8천3백 | 8천1백 | 9천2백 | 1억9천 | 1억 | |
| 정직3월 | 5천5백 | 3천8백 | 3천6백 | 3천5백 | 3천1백 | 2천6백 | 1천4백 |

※ 형사처리 비용은 별도이고, 소청소송으로 승소하여 복직하더라도 다른 경찰청으로 전출 (서울지방경찰청 청문감사)

음주운전을 한다는 것은 소중한 직장을 포기하는 것이다. 그런데도 가끔 경찰관이라는 신분을 망각하고 음주운전을 하는 일이 벌어지곤 한다.

음주운전을 하다 발생되는 사고는 남자 경찰관만의 일이 아니다. 지난 연말 서울 외곽의 한 경찰서에 근무하는 젊은 여경은 계원들과 회식을 했다. 그는 술을 잘 마시지 못하는 편이었다. 자꾸 옆에서 권하는 바람에 한 잔 두 잔 홀짝홀짝 마신 소주가 서너 잔이 되었다.

계장은 절대 음주운전을 하지 말라고 신신당부하며 헤어졌다고 한다. 그런데 그는 운전을 하고 가다가 교통사고를 냈다. 한눈을 팔다가 정지중인 앞차를 충격한 것이다.

피해자가 112신고를 했다. 출동한 경찰관은 사고 현장에서 그녀가 술 마시고 운전한 것을 확인하게 되었다.

경찰관이 음주운전을 한 경찰관을 적발하면 소속 상관에게 즉시 보고를 해야 한다. 만약 늦게 보고하면 같이 처벌을 받을 수 있다. 그녀는 다행히 큰 사고가 아니었다.

그러나 징계처분은 엄격했다. 임용된 지 몇 년 되지 않았지만 해임 조치되었다. 억울하다며 변호사를 선임해 소청과 행정소송을 벌여 강등 처리되었다. 당시 계급이 순경이었는데 강등이 되어 '순경시보'로 된 것이다.

'순경시보'란 순경으로 임용되기 전 1년 간 행동 등을 관찰하고 나서 결격사유가 없을 때 순경으로 임용하기 위한 수습 과정으로 순경 임용 직전의 계급이다.

음주운전 사고에는 남녀노소, 계급의 고하가 없는 셈이다. 음주운전을 한 경찰관이 적발되면 감찰과에서는 최대한 높게 징계처벌을 한다. 소청을 하여 살아날 수 있다면 살아서 돌아오라는 심정으로 가혹하게 처벌한다. 지시명령을 위반하였기 때문이다.

그리고 각자가 수시로 술을 마시고 운전을 하지 않겠다는 각서를 썼기 때문이기도 하다. 그녀가 1년이 넘게 마음고생을 했고 경제적 손실까지 감안한다면 소주 한 병에 일억 원 정도가 아니다. 그보다 훨씬 더 비싼 인생 경험이라는 술을 마셨다고나 할까.

# 배보다 배꼽이 큰 음주 관련 비용

술을 마시면 술값만 들어가는 게 아니다.

당장은 술값에다 택시비, 대리운전비 등 음주에 따르는 부대비용도 장난이 아니다.

해마다 증가하고 있는 술로 인한 폐해와 그에 따르는 사회경제적 비용을 고려하면 배보다 배꼽이 크다는 것을 쉽게 알 수 있다.

한국보건사회연구원은 〈음주로 인한 사회경제적 비용 및 음주 폐해 예방사업의 비용효과성 분석〉이라는 보고서에서 음주로 인해 발생하는 질병과 사고로 우리 사회가 연 7조 3698억 원의 사회경제적 비용을 치르고 있다고 밝혔다.

올 한 해 정부가 쓰는 건강보험 지원 예산 6조 5131억 원보다도 많은 액수다. 우리 사회는 음주로 인한 질병으로 연간 6조 1200억 원, 음주로 인한 사고로 연간 1조 2498억 원의 사회경제적 손실을 보았다.

질병으로 인한 비용 6조 1200억 원은 대표적인 음주 관련 질환인 뇌졸중 등 암·심혈관계 질환, 알코올성 간질환 등 소화기계 질환, 알코올 의존증 등 정신

질환에서 추계했다. 이들 질환에서 음주가 미치는 영향 정도를 분석한 뒤 의료급여·건강보험·비급여 등 직접의료비를 비롯해 의료기관 이용에 따른 간병비·교통비, 조기사망으로 인해 손실되는 미래 소득, 질병으로 인한 생산손실 등을 나눠 분석했다.

분석 결과, 연간 음주로 인해 발생하는 직접의료비가 1조 3610억 원으로 나타났고 이어 간병비 1656억 원, 교통비 211억 원, 조기사망으로 발생하는 소득 손실 4조 1600억 원, 생산손실 4123억 원으로 산출됐다. 성별로는 남성이 5조 6923억 원(93.0%)을 차지했고, 여성이 4277억 원(7.0%)이었다.

사고로 인한 비용 1조 2498억 원은 산업재해, 교통사고, 화재 등이 고려됐다. 교통사고로 1조 266억 원의 비용이 발생하고 이어 화재 1174억 원, 산재 1058억 원 순이었다. 정영호 보사부 연구위원은 "여성의 가사노동 부문과 음주 폭력 등 음주를 통한 범죄 등은 경제적 가치로 환산하기 어려워 추계에서 제외됐다."며 "이들을 포함한다면 음주로 인해 우리 사회가 치르는 사회경제적 비용은 훨씬 커질 것"이라고 말했다.          [문화일보 2013년 02월 27일(수)]

술로 인한 사회적 비용이 천문학적으로 발생하고 있는데도 국가가 적극적으로 나서지 않는 것 같아 안타까움을 주고 있다.

오히려 술 만드는 회사에서는 앞 다퉈 유명 연예인들을 동원해 가며 술 광고에 적극적이다.

피겨 여왕 김연아의 맥주 광고에 실망하기도 하고, 강남스타일을 공연하는 싸이가 소주를 벌컥벌컥 마시며 '처음처럼'을 외칠 때 눈살을 찌푸리기도 했다.

많은 청소년들도 지켜보고 있을 텐데 술 광고는 제한이 없다. 우리 사회의 혼란스러운 음주문화의 척도인 것처럼.

# 택시기사들의 애환

거의 매일 밤 112 종합상황실로 택시기사들의 신고가 쇄도한다.

요금과 관련된 신고가 대부분이지만 때로는 폭행을 당했다고 신고하기도 한다. 사건을 취급하면서 항상 느끼는 점은 대개 술 취한 승객의 술이 원인이라는 것이다.

기분 좋게 술을 마시고 목적지에 잘 왔는데 왜 시비를 하는 걸까? 궁금해질 때가 한두 번이 아니다.

술꾼들의 언행을 관찰해보면 대부분 잘못 배운 음주습관이 시비의 원인이다. 몇 년 전만 해도 택시기사들은 술에 취한 승객은 태우기를 꺼렸다. 교대시간을 앞두고 혹시 술 취한 승객과 시비라도 벌이면 요금은 고사하고 교대시간을 맞출 수 없기 때문이다.

그런데 요즘은 그런 것에는 별로 신경 쓰지 않는다.

어차피 술 취한 손님과 시비가 되어 112 신고를 하면 출동한 경찰관이 사건 처리를 해주기 때문이다.

경찰 입장에서는 택시 요금 문제를 해결해주거나 술꾼들을 깨우는 데

시간을 보내느라 정작 긴급한 사건사고 현장에는 신속하게 출동할 수 없다. 간혹 음주 사건 취급 중에 강력신고가 접수되어 민원인들의 불만을 사기도 한다. 그렇다고 먼저 접수받은 사건을 취급하다가 다른 신고 사건을 핑계로 가버릴 수도 없다.

택시기사들도 그들 나름대로 애로사항이 있게 마련이다. 목적지에 태워주고도 요금을 받지 못할 형편이 되니까 법에 호소하는 것은 당연하다.

또 승객은 승객대로 억울함을 호소하기도 한다.

승객이 술에 취해 잠든 사이에 다른 곳으로 빙빙 둘러 왔기 때문에 평소보다도 요금이 더 많이 나왔다는 게 불만이다.

목적지에 도착했는데 잠든 승객이 일어나지 않는다며 신고를 하는 기사들도 있다. 현장에 출동해보면 손님을 깨웠는데도 꼼짝도 하지 않는다며 하소연을 늘어놓는다.

특히 여성 승객이 술에 취해 잠들어 있을 때는 성추행 같은 오해를 사지 않으려고 신고를 한다.

이런저런 이유로 112 신고 전화는 조용할 틈이 없다. 그런데 꼼짝도 하지 않고 잠들어 있다는 술꾼들도 경찰관이 흔들어 깨우면 너무나 쉽게 일어난다. 택시기사들이 거짓말을 한다는 생각이 들 정도다. 이럴 때 현장 경찰관은 마치 택시기사들과 동업이라도 하는 사람 같다.

가끔 요금이 많이 나왔다며 불평하는 승객이 택시기사와 시비를 하다 싸움이 되기도 한다.

운전 중에 택시기사나 버스운전자를 폭행했다면 문제가 다르다. 사건에 따라 다르겠지만 가중처벌을 받아 구속되는 사람도 있다. 일단 사건 접수가 되면 경찰서 형사계로 인계되어 대부분 벌금형으로 처벌된다. 벌금도 만만찮게 나온다.

112 신고를 받고 현장에 출동하면서 도저히 이해가 되지 않을 때도 있다. 택시 요금이 없으면서도 택시를 타고 와서 도망가는 사람들 말이다. 대부분은 젊은 사람들인데 순간적으로 잘못 판단하고 벌이는 행동일 테지만 종종 뒤따라간 기사에게 붙잡히고 만다.

간혹 딱한 사정에 요금을 받지 않고 그냥 가겠다는 택시기사도 있지만, 끝까지 요금을 받아야 한다며 사소한 폭행까지도 처벌을 요구하는 사람도 있다. 택시기사들도 힘들겠다는 생각이 든다.

경기도 용인에서 택시를 타고 강남으로 오던 술 취한 40대 중반의 한 남자에게서 나쁜 술버릇이 나왔다.

뒷좌석에 앉아오다가 강남구 개포동에 이르러서 시비가 되었다. 택시 요금이 생각보다 많이 나왔다며 기사의 뒷머리를 때리고 발로 차는 등 폭행을 가했다.

택시기사는 급제동을 하면서 가드레일과 충돌하여 택시 앞부분이 부서지면서 차가 굴러가지 않았다.

112 신고를 받고 출동하여 현행범으로 체포하여 경찰서로 인계했다. 그때까지 가해자는 술에 취해 아무 것도 아닌 것처럼 택시기사에게 욕설을 해대고 있었다.

아침에 술이 깨고 나면 틀림없이 후회를 하게 될 텐데도 말이다.

직업에 귀천이 있을까마는 개인택시 운전자들은 그나마 나은 편이다. 개인 차량이니까 사납금에서 자유로울 수가 있다.

하지만 영업용 운전자들은 사납금 때문에 이러지도 저러지도 못한다. 매일 사납금 채우느라 힘들 수밖에 없다. 그러다 보니 밤늦게까지 일을 해야 하고 간혹 술 취한 승객을 만나야 하는 것은 너무나 당연하다.

택시요금이 인상되면 서비스도 좋아질 것이라고 생각하지만 착각이다.

택시기사 중에는 친절하게 서비스를 잘하는 사람도 있지만 그렇지 못한 사람도 있다.

며칠 전에는 대낮에 영업용 택시기사와 손님이 파출소로 왔다.

승객에게 담배를 피우지 못하게 했는데도 손님이 담배를 피웠으니 고발조치를 한단다. 손님은 술에 살짝 취해 있었다. 승객은 승객대로 기분이 좋지 않아보였다. 한여름이라 몹시 더운데도 에어컨을 틀어주지 않다가 담배 불을 붙이는 순간 에어컨을 틀었던 모양이다. 그러면서 승객에게 담배를 피우지 말라고 하면서 소리쳤다고 한다.

그게 시비가 되어 파출소에 오게 되었던 것이다. 택시기사는 잘못 알고 승객에게 벌금 300만 원이 나온다고 강조했다. 어느 법에도 승객에게 벌금 300만 원 나온다는 조항은 없다. 결국 택시기사는 택시비는 고사하고 승객에게 잘못을 빌어야 했다.

택시영업은 손님을 친절하게 모셔야 하는 서비스업이다. 항상 승객에 대해 친절과 서비스를 아끼지 말아야 한다.

술 취한 승객과 시비를 벌이면서 손끝 하나 까딱하지 않고 112 신고를 하여 경찰관을 출동시키는 기사들도 있다.

야간근무를 하면서 술 취한 사람과 시비를 하며 스트레스를 받는 건 택시기사나 경찰관이나 마찬가지다. 택시기사들의 심정을 이해하면서도 한편으로는 승객에 대한 서비스가 훨씬 미흡하다고 느끼기도 한다.

어쩌면 경찰이란 직업과 닮은 동병상련의 관계라는 생각도 든다.

# 억울한 죽음이 너무 많다

음주운전으로 사고가 발생하면 억울한 피해자가 생기게 마련이다. 거의 매일이다시피 방송 매체에서는 사건사고로 세상을 떠나는 사람들을 보도한다. 그 중에는 정말 억울하게 세상을 떠나는 사람들도 있다.

종종 경찰서 무전실에서 음주 교통사고가 발생했다는 112 신고를 무전으로 접수받을 때면 신경이 곤두서고 정신이 번쩍 든다.

크고 작은 교통사고가 음주와 연결돼 있는 경우가 많다는 것을 너무나 잘 알기 때문이다.

음주 교통사고는 대형사고로 이어져 현장이 참혹할 때가 많다.

"제발 사람만은 다치지 말았으면…… 사망 사고는 아닐 거야."

이런 간절한 바람을 가지고 순찰차로 사고 현장에 달려 나가는 게 현장 경찰관들의 일상이다. 음주운전 교통사고 소식이 뉴스에서 빠질 날은 도대체 언제일까?

4조 2교대 근무를 하는 터라 4일에 한 번씩 밤샘 근무를 한다. 가끔 교통사고로 뉴스에 나오지 않는 사건을 취급할 때도 있다. 그럴 때면 한 치앞도 모르는 게 인생이라고 느낀다.


　2012년 2월 중순경, 야간근무를 하고 있었다. 자정이 막 지날 무렵, 강남구 개포동 역 앞 횡단보도에서 교통사고가 발생했다는 신고가 들어왔다. 승용차가 보행자를 치고 도망가고 있다는 또 다른 신고도 있었다.

　사고 차량을 목격한 영업용 택시가 뒤따라가고 있다는 내용도 잇따라 접수되었다.

　현장에는 피해자로 보이는 30대 초반의 남자가 피를 흥건히 쏟은 채 쓰러져 있었다. 피해자는 8차선 횡단보도 중앙에서 차량 충격으로 약 30미터 가량 떨어져 있었다. 차량이 얼마나 과속을 해왔는지 알 수 있었다.

　금세 도착한 119 구급차량으로 병원에 후송했지만 그는 불귀不歸의 객이 되고 말았다.

　피해자는 귀에 이어폰을 끼고 보행자 신호에 따라 걸어가고 있었다고 한다. 그때 술을 마시고 운전하던 차량이 신호를 위반하고 달려와 사고가 일어났던 것이다.

　사고 운전자는 그대로 뺑소니를 쳤고, 피해자는 신속히 출동한 119 구급차량에 태워 부근의 서울 강남삼성병원으로 옮겼다. 출동한 구급요원은 현장에서 사망한 것 같다고 말했다.

　피해자가 입고 있는 옷이나 책가방을 볼 때 아마 제대 후 취직을 하기 위해 늦게까지 공부하고 귀가하던 것으로 보였다.

　신분증으로 주소를 확인하여 부모에게 연락을 취했다, 잠자다 말고 나온 부모는 아들을 보자마자 쓰러졌다.

　세상에 이런 날벼락이 어디 있느냐고 울부짖었다.

　서울 강남의 도로는 대부분 잘 만들어져 있다. 아시안 게임이나 88서울

올림픽 때 만든 것으로 도로시설이 발달되어 있는 편이다.

그래서인지 밤늦은 시간의 교통사고는 대부분 음주사고로 대형사고로 이어질 때가 많다.

그날 가해차량 운전자는 부동산중개업을 하는 젊은이로 술에 취해 운전하다 사고를 냈다. 또 사고를 내고는 겁이 나서 뺑소니를 쳤다고 한다.

하지만 곳곳에 설치된 CCTV에 차량번호가 찍혀 운전자를 검거할 수 있었다. 특정범죄처벌 등에 관한 법률위반(도주죄)으로 훨씬 무거운 처벌을 받을 것이다.


2006년 12월 24일, 그날도 야간 근무를 하고 있었다.

수시로 대학에 합격한 김현석은 술에 취한 상태였다.

대학에 합격한 친구 6명과 함께 크리스마스이브 날의 기분에 들떠 술을 마셨던 것이다. 그동안 힘들게 공부하고 마음 조였던 것들에 대한 보상을 받는 기분이었을 것이다.

그들의 모임은 새벽 4시 반이 되어 끝이 났다.

김현석은 서초동에 있는 작은 오피스텔에서 혼자 살고 있었다. 지방의 중소도시에서 병원을 운영하는 병원장 아버지 덕분에 서울을 왕래하며 지독하게 공부하여 수시로 대학에 합격했던 것이다.

김현석은 성악에 남다른 재능이 있었다. 그래서 항상 훌륭한 성악가를 꿈꾸며 공부해 왔다.

모임을 마치고 친구들은 김현석을 택시에 태워 보냈다고 한다. 평소 술을 잘 마시지 못하는 학생인데 대학에 합격하여 들뜬 기분으로 술을 많이 마신 것 같았다.

김현석이 행방불명이 되었다는 전화가 왔다. 그의 행방을 찾아 나섰지만, 며칠이 지나도 찾지 못했다. 급기야 관할 경찰서 강력반에서 납치로 의심된다며 수사가 시작되었다.

시골에서 그의 부모가 상경하여 전단지를 돌리며 행방을 묻고 또 물었다. 열흘이 지날 무렵 그는 잠실의 한 병원 영안실에 싸늘한 사체로 보관되어 있었다.

김현석은 택시에서 내려 집으로 가던 중에 뺑소니 차량에 사고를 당했던 것이다. 뺑소니차량 전담반에서 1년 내내 수사를 했지만 범인을 잡지 못했다. 아직도 미제 사건으로 남아 가슴을 아프게 하는 실화다.

세상에는 억울하게 죽음을 당한 사람이 많겠지만, 음주 운전 차량에 목숨을 잃는 사람도 억울한 죽음으로 손꼽힐 것이다.

한밤중이나 새벽에 걸려오는 전화는 거의 비상연락을 원한다.

며칠 전 서울시내의 경찰서에서 근무하고 있는 경찰 동료가 전화를 했다. 우리 파출소 관내에 살고 있다는 대학생 김성필의 이름과 주소를 이야기하며 연락을 취해달라고 부탁했다.

"무슨 일인데요?"

"김성필이란 학생이 우리 관내에서 오토바이를 타고 가다가 음주운전 차량과 충돌하여 큰 사고가 발생했는데, 신속하게 병원으로 옮겼지만 중태라고 하네요."

한참 잠들어 있을 학생의 부모가 새벽에 찾아온 경찰을 보고 얼마나 놀랄까? 더구나 아들이 교통사고를 당했다고 하면 거의 대부분은 기절하고 만다.

생명을 잃었다고 해서 다 방송에 보도되는 것은 아니다. 당신이 잠든 순간에도 술로 인한 사건사고가 많이 발생하고 있다고 해도 지나친 말이 아니다. 거의 매일이다시피 술이 원인이 되어 사건사고가 일어난다.

현장에 출동하여 사건을 취급할 때마다 느끼는 감정은 가해자는 술에 대한 관대함이 남아 있다는 사실이다. 음주운전에 대해서도 범죄행위라는 죄의식이 희박하다.

이런 의식이 문제다.

누가 되었든 피해자의 입장에서 보면 생명은 언제나 하나다.

살인 피해자가 되었건, 음주 교통사고가 되었건. 억울하게 생명을 잃는 데도 불구하고 가해자에게는 음주라는 관대함으로 처벌마저 약하다는 생각이다. 최고의 음주습관은 '절주節酒 하는 것'이라고 사건을 통해 실감한다.

# 나쁜 술버릇 때문에

'경찰관서'에 가기를 좋아하는 사람은 아무도 없을 것이다. 그럼에도 불구하고 원하지 않는 사건사고로 가게 될 때가 있다.

그럴 때면 순간순간 잘 대응하여 처신하고 처리해야 한다.

나는 근무를 하면서 술에 취해 주정을 부리다 크게 후회하는 사람들을 종종 본다. 순간적으로 잘 대처하면 충분히 해결될 수 있는 일인데도 꼭 후유증을 남긴다.

호기를 부리며 현명하게 대처하지 못하고 뒤늦게 후회하는 것을 보면 안타깝다는 생각이 든다.

며칠 전 야간근무 때 있었던 일이다. 술주정을 부리지 않고 한순간만 잘 대응했더라면 훨씬 쉽게 해결할 수도 있었는데 그렇게 하지 못한 경우다.

나이 40세로 건설회사에 다니는 최정범은 동료들과 회식을 했다. 그는 1차를 마치고 2차는 생맥주집으로 자리를 옮겨 술을 마셨다.

소변이 마려워 술집에서 나왔는데, 화장실에 가지 않고 옆 건물의 카센터 마당에다 소변을 봤다.

그때 카센터 사무실에서 술을 마시던 53세의 카센터 종업원 윤철현에게 발각되었다.

윤 씨는 소변을 보고 다시 생맥주집으로 들어가 있던 최 씨를 찾아가 "카센터 마당에다 소변을 보면 어떻게 하느냐?"고 따졌다. 미안하다고 사과를 하면 충분히 넘어갈 수 있는 일이었다.

그런데 대뜸 최 씨가 "그래서 어쩌라고?" 하고 대꾸하는 바람에 싸움이 시작되었다. 둘 다 술을 마셨기 때문에 싸움이 커졌다고 할 수 있었다.

덩치나 나이로나 훨씬 건강하고 젊은 최정범이 카센터 직원 윤철현을 폭행하고 말았다.

현장에 있던 사람이 112 신고를 해주었다.

힘이 약한 피해자 윤철현은 입고 있던 티셔츠가 찢어진 데다 입술이 터지고 아랫니가 흔들리는 피해를 당했다.

더 큰 문제는 싸운 이후의 처리과정에 있었다.

최정범과 같이 술을 마시던 동료들이 적극 대처해 주지 않았다. 물론 당사자도 술이 취해 상황 처리를 제대로 할 수 있을 만큼 지혜롭지도 못했다.

술에 취하면 소리가 커지고 과격해지며 항상 자신도 피해를 당했다고 생각한다. 또한 내가 했던 행동이 생각나지 않을 때가 많다.

생각이 나더라도 나의 잘못보다는 상대의 잘못이나 상대의 약점과 행동이 더 크게 부각된다.

가장 현명한 처리 방법은 무엇일까? 큰 피해가 없다면 경찰서로 가기 전에 끝내는 것이다.

경찰서로 인계되면 곤란해지게 마련이다. 구속이나 불구속 여부를 떠나 벌금이 만만치 않게 나오기 때문이다.

술을 마시고 실수를 하지 않았다면 다행이겠지만, 실수로 사건이 발생했더라도 사과를 하고 치료비를 변상해 주었더라면 경찰관서에 가지 않아도 되는 상황이었다.

그런데도 그렇게 처리 하지 못했던 것이다. 사건을 처리해야 할 본인이 우선 술에 많이 취한 상태였고, 같이 있던 친구들도 사건을 해결해 줄 능력이 되지 못했다.

이런 사실을 제대로 아는 술꾼은 별로 없다. 처음엔 대부분 큰소리를 쳐가면서 사건처리를 원한다. 벌금을 내는 한이 있더라도 합의를 해주지 않겠다며 흥분한다.

그렇다고 경찰관이 합의를 하라고 종용하지 않는다. 합의가 되면 되는 대로 안 되면 안 되는 대로 처리를 한다. 그리고 신속하게 사건 기록을 만들어 경찰서 형사계로 인계한다.

그러나 이렇게 처리한 사건 기록이 경찰서에서 검찰청으로 송치되어 몇 달 후에 벌금이 나오면 가슴을 치고 후회하게 된다.

치욕적인 전과까지 덧붙여진다.

만약 가해자가 공무원이나 공기업, 대기업에 취직을 꿈꾸고 있는 사람이라면 어떻게 될까?

그는 자신도 모르는 사이에 공직 임용시험이나 대기업 입사의 결격 사유를 가진 사람이 되어 꿈을 펼쳐보기도 전에 접어야 하는 일이 발생할지도 모른다.


우리나라는 폭력 발생건수가 미국의 2배, 일본의 12배 이상 많다고 한다.

박동군 한국치안행정학회 회장은 7월 12일 경찰청 대청마루에서 가진 '폭력으로부터 안전한 사회 구현을 위한 학계-경찰 간담회'에서 다음과 같이 지적했다.

"2010년 기준 우리나라 인구 10만 명당 폭력 발생건수는 609.2건으로 미국의 252.3건, 일본 50.4건보다 훨씬 높은 수준이다. 이는 일정한 폭력 행위를 묵인하거나 주요 폭력범죄와 관련성이 높은 음주에 비교적 관대한 우리나라의 사회문화적 요인이 적용한 결과다."

항상 나쁜 술버릇이 문제다.

술을 많이 마시면 이성을 잃게 되어 무서운 것이 없어지고 세상을 다 가진 것처럼 착각하고 만다.

일단 큰소리부터 치기 시작한다.

그래서 사람이 술을 마시고 술이 술을 마시고 술이 사람을 마신다고 했는지도 모른다. 술을 마시지 않으면 좋겠지만, 꼭 마셔야 하는 상황이라면 술 습관이라도 건전해야 한다.

만약 그런 철학만 갖추고 있어도 여러분은 술을 잘 마시는 사람으로 인정받게 될 것이다.

제5장

# 꿈과 미래를 훔치는 술

# 술 담배와 청소년의 건강

청소년은 호기심으로 가득 차 있다. 그 호기심은 술 담배의 표적이다.

청소년의 건강을 위해 술 담배는 철저히 규제되어야 한다.

그런데도 술 담배 회사에서는 10대 청소년들을 표적으로 삼아 미래의 고객으로 생각하며 마케팅에 심혈을 기울이고 있다.

"현재의 10대는 미래의 잠재적 정규 고객이다."

다국적 담배회사의 내부문서에 나오는 문구이다. 담배회사에서는 화려한 포장으로 청소년들을 유혹하고 있다. 편의점에 진열되어 있는 담배 곽은 갖고 싶은 충동을 느끼게 한다.

화려하고 고급스런 포장과 세련된 디자인이 자신이 좋아하는 연예인이나 스포츠 스타들을 따라 해보고 싶은 것과 마찬가지의 충동을 느끼게 한다고 말한다.

술의 경우는 어떤가?

담배 못지않게 청소년을 표적으로 집요한 공세를 취한다.

한 맥주 회사는 최근 배우 이종석(24)과 김우빈(24)을 모델로 한 광고를 내보내기 시작했다. 두 사람은 올 초까지 지상파 청소년 드라마 〈학교 2013〉에 고교생으로 출연했다.

이종석은 현재 방영 중인 지상파 드라마 〈너의 목소리가 들려〉에서도 고교생으로 출연하고 있다.

대부분의 청소년들은 자신이 좋아하는 연예인이 술을 마시는 것을 보면 따라 마시고 싶은 충동을 느낀다고 한다.

이런 점을 이용해서 술 제조회사에서는 10대를 잠재적 정규 고객으로 겨냥하고 있는 것이다.

그렇다면 외국에서도 고등학생으로 나오는 연예인을 광고 모델로 사용하고 있을까? 어림도 없는 일이다.

선진국들은 술 광고를 아예 금지하거나, 청소년에게 영향을 줄 수 있는 연예인이나 스포츠 스타 등은 술 광고에 출연하지 못하도록 규제하고 있다. 청소년들의 건강을 지키기 위해 정부가 노력하고 있는 것이다.

담배에 대해서는 더욱 엄격하다.

마이클 블룸버그 뉴욕 시장은 지난 3월 담배를 가판대나 상점 내의 눈에 띄는 곳에 진열해 놓고 파는 것을 금지하는 규제안을 발표했다.

유럽연합도 최근 담뱃갑의 65%를 흡연 폐해를 보여주는 사진과 경고 문구로 채우는 법안을 승인했다.

우리나라는 어떤가?

담뱃갑에 화려한 디자인 대신 흡연 경고 사진을 붙이도록 한 법안이 국회에 올라가 있다. '25세 미만의 스포츠·연예 스타'의 술 광고를 제한하는 법안(이에리사법)이 있지만 이 또한 계류 중이다.

앨빈 토플러의 『부의 미래』에는 '속도의 충돌'에 대해서 말한다.

고속도로에서 오토바이에 걸터앉은 경관이 도로 쪽으로 속도 측정기를 내밀고 있다. 도로에는 9대의 차가 있는데, 이들은 각각 그 나라의 주요기관을 대변한다. 자동차는 그 기관이 변화하는 속도에 상응하는 속력으로 달린다고 하자.

시속 100마일 자동차. 기업이나 사업체가 여기에 해당한다.

비즈니스 세계에서 기술은 경영자와 직원들이 감당하기 힘들 정도로 쏜살같이 달린다.

시속 90마일 자동차. 시민단체들이다.

격렬하게 변하는 수천 개의 NGO들로 구성되어 급성장하고 있는 과보호 부문이다.

시속 60마일 자동차. 대가족이다.

수천 년 동안 세계 대부분의 지역에서는 전형적인 가족 형태였다. 이제 가족의 규모가 축소되면서 핵가족이 우세해졌다.

시속 30마일 자동차. 노동조합이다.

25마일 자동차. 소리만 요란한 정부 관료조직과 규제기관들이다.

10마일 자동차. 학교다.

타이어는 펑크가 나서 흔들거리고, 엔진에서는 연기가 뿜어져 나온다. 이 차량은 뒤따라오는 차량까지 속도를 낼 수 없게 만든다.

5마일 자동차. 정부 간 국제기구다.

3마일 자동차. 정치조직이다.

1마일 자동차. 법이다. 느림보 중에서 가장 느리게 변하는 게 법이다.


경제발전의 속도를 높여가는 나라의 주요 제도들이 뒤쳐져 있다면 부를 창출하는 데 잠재력이 제한될 수밖에 없다. 정곡을 찌른 토플러의 혜안에 감탄할 뿐이다.

비단 이 법안뿐만이 아니겠지만 청소년들의 건강을 생각한다면 시급하게 처리되어야 할 법안이 잠자고 있어 안타까움을 느끼게 한다.

금연禁煙 전도사이자 전 국립암센터원장인 박재갑 교수는 성인이든 청소년이든 흡연의 유혹을 느끼게 하는 장면을 TV에서 방영하지 못하도록 강력하게 요구했다고 한다.

관련 부처를 상대로 끈질긴 노력을 펼친 결과 TV연속극을 비롯한 방송에서 담배를 피우는 장면이 나오지 않는다고 말했다.

그런데 술을 마시고 비틀거리는 모습과 폭력을 행사하는 장면은 여전히 너무 많이 나온다. 이것 또한 음주로부터 청소년을 보호하기 위해 반드시 시정되어야 한다.

(조선일보 2013년 7월 10일자 〈술 담배의 청소년 마케팅〉, 앨빈 토플러의 『부의 미래』 59쪽 참조)

# 술이 술을 마시고, 술병에 별이 떨어지다

누구든지 술을 많이 마시고 나면 정신을 잃게 마련이다.

아마도 체력이 따르지 못해 그런 경우도 있겠지만 잘못 배운 술버릇 때문이라는 말이 정답에 가깝다. 특히 여름철이면 열대야로 잠을 잘 이루지 못하다 보니 소음 문제를 비롯해서 시비를 하기 일쑤고 사소한 문제로도 참지 못하고 싸우는 일이 흔하다.

술을 마시는 연령대가 낮아지고 있는 점도 문제다. 밤새도록 술을 마시거나 공원에 술을 가지고 와서 마시는 청소년들도 있다.

공원에서 술을 마시면 처벌받는다는 말에 큰소리로 대꾸를 하면서 시비를 걸기도 한다.

청소년들에게 술을 팔면 엄한 처벌을 받는다. 청소년들은 술을 살 수 없다는 것을 알고 지나가는 성인들에게 부탁을 하기도 한다.

어른 10명 가운데 5명은 이들의 부탁을 들어준다고 한다.

내 자식이 술을 마신다고 생각하면 따끔하게 혼을 내면서 거절해야 할 텐데, 그러기는커녕 술 사달라는 부탁을 들어주고 있다.

10대들의 덩치는 성인들보다 훨씬 크다. 꼼꼼하게 주민등록증을 확인하지 않고 이들의 말만 믿고 술을 팔았다간 낭패를 당한다. 이런 실정이다 보니 술에 취한 사람들이 증가하여 경찰 업무도 바빠지는 것이다.

며칠 전, 공원에서 여중생 5명이 술을 마시고 있다는 신고가 들어왔다.
현장에 출동해보니 사실이었다. 술을 어떻게 구입했는지 알기 위해 파출소로 데려왔다.

"'중고나라'라는 인터넷 사이트에서 구입하면 택배로 보내줘요."

사실인지 확인하기 위해 직접 시도해보게 했다. 학생들의 말이 맞았다. 술 판매에 대한 처벌은 사이버 수사대로 보고를 하고 학생들은 부모를 불러 인계하기로 했다.

그런데 연락을 받고 찾아온 부모들의 행동에 놀라고 말았다. 공원에서 술 좀 마신 걸 가지고 경찰이 부모를 부르느냐는 그들의 표정에 아연실색하지 않을 수 없었다.

적어도 나는 경찰이 보는 데서 눈물이 쏙 빠지도록 아이들을 혼내 주길 원했다. 아무리 요즘 어린 학생들의 품행이 엉망진창이라 하더라도 부모들은 적어도 그것을 나무라는 게 올바른 태도라고 생각했기 때문이다.

그런데 그게 아니었다. 일부 부모들은 술을 마시다 왔는지 얼큰한 상태에서 아무렇지도 않게 아이들을 데리고 갔다. 남아 있는 경찰관들만 허탈하고 어이없어 했다.

진정으로 청소년이 우리의 미래라고 생각한다면 부모는 물론이고 학교와 사회의 성인들이 보호하고 지켜주어야 올바르게 성장할 수 있다.

술은 우리의 일상생활과 밀접한 기호식품임에 틀림없지만 술로 인해 일어나는 사건 사고로 부작용 또한 적지 않게 발생하고 있다.

브레이크 없는 자동차라고나 할까. 술을 마시고 이성을 잃으면 위험한 행동도 서슴없이 한다.

　지난해 청소년들이 한강에서 술을 마시고 내기를 하다 2명이 생명을 잃었다는 보도가 있었다.

　청소년인 권정길이 술에 취해 수영 실력을 뽐내려고 한강에 뛰어들었다. 권정길의 행동을 말리려고 뛰어든 친구 양재호까지 목숨을 잃었다. 술에 취한 상태로 강물에 뛰어들자 자신들을 통제할 수 없었던 것이다.

　또 술을 마시고 운전을 하다 생명을 잃기도 한다.

　더욱 큰 문제는 음주 운전이 자신의 생명뿐만 아니라 다른 사람들의 생명까지 위협할 수 있기 때문에 불안하다는 것이다. 음주 운전 차량은 통제 불능의 위험한 무기인 셈이다.

　신호대기에서나 갓길에서 잠을 자는 운전자가 있다는 신고가 자주 들어온다. 음주 운전인 경우가 거의 대부분이다. 3분이란 신호대기 시간에 잠들어 버린 것이다.

　사고는 일어나지 않더라도 위험천만한 일이다. 요즈음은 모두가 휴대 전화를 사용하기 때문에 이런 일은 금방 신고가 된다. 사고가 발생하지 않더라도 음주 운전으로 적발되면 당연히 처벌을 받는다.

　술을 마시고 운전하다 신호대기에서 잠든 사람에게 다가가서 흔들어 깨우면 틀림없이 운전을 하지 않았다고 변명한다.

　음주측정을 거부하기도 한다. 운전석에 앉아 잠을 자고 있는 사진을 보여주면 그때서야 잘못을 시인한다.

　가끔 음주 운전을 부인하는 경우도 있지만 조사하면 시인할 수밖에 없다. 음주 측정을 해보면 대부분 취소 사유에 해당하는 양을 마신 것으로 나온다. 많은 양의 술에 못 이겨 잠이 들었다는 것을 알 수 있다.

휴대전화의 사용이 확산되기 전에는 시시콜콜 신고가 되지는 않았다. 음주 운전을 보고도 공중전화를 찾아서 신고를 하려면 번거롭기 짝이 없었기 때문이다.

그런데 이제는 음주 운전자들도 경찰 단속만 피하면 된다는 생각을 버려야 한다. 음주 운전자 신고 포상 제도가 있고 누구나 휴대전화를 사용하기 때문에 거의 실시간으로 신고가 이루어지기 때문이다.

경찰력만으로 음주 운전을 근절하는 데 한계가 있다고 볼 때 정말 다행스러운 일이기도 하다.

아울러 음주 운전을 하면 패가망신한다는 인식이 필요하다.

매일 술에 절어 사는 사람들이 있다. 알코올 중독자들이다. 도시 빈민이나 가정주부, 영업을 하는 사람도 있다. 도시 빈민들 중에는 하릴없이 아파트 놀이터나 구석진 공터에서 술 마시는 모습을 쉽게 볼 수 있다. 사소한 시비로 신고도 자주 하는 사람들이다.

외국을 자주 드나드는 사람들은 우리나라의 음주문화에 대해 걱정이 많다. 외국에 비해 술을 쉽게 구할 수 있는 것도 문제지만 24시간 저렴하게 마실 수 있는 것도 그렇단다. 술값이 싸다 보니 알코올로 인한 건강 문제, 범죄 등 사회적 부작용도 크다.

우리나라와 비슷하게 술을 좋아하는 핀란드의 주류정책과 비교해 보자.

우선 우리나라는 마트나 슈퍼에서 시간제한 없이 술을 판다. 핀란드는 시간과 종류가 제한되어 있고, 알코올 4.7% 미만인 술만 팔 수 있다. 판매 시간도 아침 9시부터 밤 9시까지. 밤 9시가 넘어서 한 잔 하려면 비싼 술집에 가서 마시는 방법밖에 없다.

또한 일요일마다 휴무를 하는 가게들이 많아서 휴일에 한 잔 하려면 따로 계획과 준비가 필요하다. 무엇보다도 핀란드는 만취한 사람에게는 술을 팔지 않고 신분증 검사도 꼼꼼하게 한다.

특히 우리나라와 다른 점은 술 가격이다. 핀란드에서는 주세가 굉장히 높다. 맥주 같은 경우 60~80%다. 소주와 비슷한 도수의 술 한 병을 사려면 최소한 2만 원이 든다.

술값이 워낙 비싸기 때문에 배 타고 가면 2시간 거리에 위치한 에스토니아에서 술을 반값으로 사오는 사람들이 많다. 그래서 주세가 인하되기도 했다. 2004년에는 주세를 3분의 1로 대폭 인하했는데 알코올 관련 사망 등 부작용이 눈에 띄게 급증해서 금방 다시 올렸다.

또 한 가지 다른 점이 있다. 핀란드에서는 만취 상태로 길에 누워 있으면 경찰이 달려와서 유치장으로 데려간다. 술을 깨고 나가라는 의미에서 아침까지 풀어주지 않는다.

우리나라의 경우 여름철이면 도로 아무 데나 쓰러져 누운 사람들로 경찰이 골치를 앓고 있다. 보통 밤 10시가 넘어가면 112 신고가 시작된다.

'보호조치'나 '안전'이라는 이름으로 술 취한 사람이 쓰러져 있다는 신고가 접수된다. 경찰의 주 업무가 술 취한 사람들을 깨우고 뒤처리하는 일이 경찰의 임무처럼 되어 시간을 뺏기다 보니 정작 중요한 방범 근무나 현장 출동은 뒤로 밀리기 일쑤다.

결국 피해가 국민들에게 고스란히 돌아간다는 말이다.

(한겨레 2013년 7월 11일자 〈한국은 가난한 애주가의 천국〉 참조)

# 술 때문에 헤어지는 청춘도 있다

나는 10대나 20대의 젊은 사람들이 관련된 사건사고에 관심이 많다.

아마 아들만 둘을 두고 있기 때문이기도 하고 청소년에 대한 관심이 특별한 탓이기도 하다는 생각이 든다. 그들의 고민을 펠 정도는 아니지만 신고사건에는 항상 민감하다.

청소년 사건사고의 대부분은 술이나 돈이 원인일 때가 많다. 특히 술로 잘못을 저지르는 젊은이들을 볼 때마다 교육의 중요성을 생각한다.

청소년들이 술에 취해 일으킨 사건사고 현장을 볼 때마다 학교 교육이나 가정교육이 얼마나 중요한지 매번 실감하곤 한다.

사건사고에 엮여든 젊은이들은 공통점이 있다. 목표의식이 불분명하고 어떤 개념이 없다.

한 번 더 생각하면 피해갈 수도 있는데, 불행하게도 사건이 일어난 다음에 보면 가슴이 아프다.

사건이 공정하게 처리된다고 하더라도 폭력사건인 경우 대개 쌍방이 같이 처벌된다.

싸움에서 정당방위는 없고, 그렇다고 구속되는 일도 잘 없다. 물론 사안에 따라 다르겠지만 경제적 부담이 되는 벌금형으로 종결될 때가 많기 때문이다.

형사 사건으로 입건되어 검찰청이나 법원에서 보낸 벌금 납부고지서를 받고서야 "술 때문이야."라며 속 쓰리고 가슴 아픈 경험을 하는 사람들도 있다. 수십에서 수백만 원의 돈은 적은 돈이 아닌 까닭이다.

벌금을 내지 않으면 지명수배가 될 수 있고, 벌금을 미납할 경우 환형유치된다.

오피스텔이 많은 강남에선 남자들이 동거하는 여자에게 쫓겨나는 일이 종종 발생한다. 남자 망신을 다 시킨다는 생각이 들 때도 있다. 크게 싸운다는 신고가 지령되어 출동했다.

D오피스텔 1103호 앞. 문을 두들겼으나 아무런 인기척도 없었다. 누가 허위로 신고를 한 것 같아 돌아가려는데 옆집 1104호의 문이 열리면서 잘생긴 젊은이가 나오면서 말했다.

"여기서 신고를 했는데요."

"무슨 일인가요?"

문을 여는 순간, 담배연기가 자욱했다. 마치 이삿짐을 풀어놓고 정리가 하지 않은 것처럼 옷가지들이 널브러져 있다. 난투극이라도 벌였음직한 풍경을 보여주었다.

스물세 살의 정현호 군은 부산에서 쭉 살았다. 그는 두어 달 후인 5월이면 군대에 가야 하는 현역 입영대상자라 현재로선 일정한 직업이 없다.

애인으로 유흥업소에 나가는 백인실 양이 금년 1월 초에 서울로 올라오라고 하여 동거를 하고 있었다.

정현호가 그날 여자 친구와 싸우게 된 결정적인 동기는 간단했다.

백인실이 나이가 든 남자와 자주 외박을 하고 술에 취해 들어오는 것이 싫었기 때문이다.

처음에는 동거녀인 백인실이 돈을 벌어오기 때문에 말을 하지 않고 있다가 그녀의 반복되는 외박과 음주에 싫증을 내며 불평을 하곤 했다.

정현호가 싫어하는 기색을 보이자 처음에는 조심하나 싶던 백인실도 그가 자주 불평을 터뜨리자 "그러면 네가 돈을 벌어 오라."고 하며 다툼이 시작되었다고 한다.

정현호는 몇 개월 동안 동거하면서 여자 친구의 행동을 보고 헤어져야 한다는 판단을 내렸고, 그날 술을 마시고 의견이 충돌되면서 싸움을 했다. 백인실은 처벌을 원한다고 했다.

"그러면 같이 지구대로 가서 진술을 해주세요."

이렇게 요청하자 백인실은 한참을 망설이다가 "처벌을 원하지 않는다." 고 다시 번복한다.

"대신 아저씨! 저 애 제 집에서 나가게 해주세요."

백인실의 말이 정현호의 가슴을 철렁 내려앉게 한다. 그러면서 여행용 가방 두 개를 복도에다 내던지고는 "야! 내가 사준 허리띠와 시계는 풀어 놓고 가라."고 한다.

그 순간, 정현호가 입에서 술 냄새를 심하게 풍기며 말했다. 억센 부산 사투리를 섞어가며.

"그래, 부산으로 갈게. 내려가는 차비는 줘야지. 니가 올라오라고 해서 왔다 아이가."

그러면서 남은 짐을 쌌다. 오리털 겨울잠바, 바지 서너 벌을 박스에다 담았다. 180센티가 넘어 보이는 키는 잘 생긴 외모와는 달리 핏기 하나 없이 깡마른 모습이다.

그는 제대로 걸어가지도 못할 정도로 비틀거렸다. 이들의 만남은 일종의 '비어고글' 효과였다. 술을 많이 마시면 눈에 콩깍지가 씌워지는 것을 자주 볼 수 있는데, 그것을 '비어고글' 효과라고 한다.

영국의 어느 심리학자는 음주 후에 상대 이성에 대한 호감도가 남성은 24%, 여성은 17% 증가한다는 실험결과를 내놓았다.

술 마시기 전보다 술 마신 후가 상대방에게 더 호감을 느낀다는 것이다.

성범죄와 음주 사이에도 밀접한 관련이 있다는 사실을 뒷받침하는 셈이다. 이처럼 술은 육체와 정신을 취하게 하고, 각종 사건과 사고의 원인으로 작용한다.

# 뉴스로 보는 대학교 신입생 환영회의 비극

매년 새 학기가 되면 대학의 신입생 환영회로 긴장감이 감돈다. 신입생 환영회 때 마시는 술 때문이다.

중학생도 술을 마시는데 대학생에게 술을 마시지 말라는 할 수는 없지만 환영회 때 마시는 술은 도가 좀 지나치다.

외국의 대학에도 '사발주'가 있고 '무조건 원샷'이라는 음주문화가 있는지 모르겠다.

분명 건전하고 상식적인 음주문화가 아니라 선배들이 후배들에게 음주를 강요하여 자칫 죽음으로 몰아가기도 한다는 데 문제의 심각성이 있다.

잘못된 음주문화로 인해 대학생활을 제대로 해보지도 못하고 환영회를 마지막으로 생을 마감한다고 생각해 보라. 이보다 더 기가 막히고 억울한 일이 어디 있겠는가?

지난 10여 년 전부터 해마다 신입생 환영회를 하면서 목숨을 잃는 일이 일어났다.

한 일간지와 음주문화연구소가 대학 선배들의 강권에 따라 술을 마시고 생명을 잃은 경우를 아래와 같이 밝히고 있다. 보도되지 않은 숫자는 더 많을지도 모르겠다.

---

2000년 3월, 강권으로 과음한 신입생 다음날 운동 중 사망.

2003년 1월, 환영회에서 폭탄주 10잔 마신 신입생 사망.

2004년 2월, 환영회에서 만취한 신입생 실족 후 사망.

2006년 3월, MT에서 음주 후 신입생 집단구타로 사망.

2008년 3월, 환영회에서 과음한 신입생 사망.

2009년 2월, 환영회에서 과음 후 건물에서 추락 사망.

2010년 4월, 신입생 환영회 후 자취방에서 사망.

2010년 5월, 축제기간 학교 앞에서 추락하여 사망.

2011년 2월, 학교 MT에서 음주 후 5층에서 추락 사망.

2011년 2월, 신입생이 술에 취해 농수로에 빠져 사망.

*한국음주문화연구소 〈출처 : 한국일보〉

---

보건복지부 발표에 따르면 신입생 환영회에서의 과도한 음주로 인해 사망자 수가 2006년 3명, 2007년 3명, 2008년 3명, 2009년 3명, 2010년부터 2013년까지 매년 2명씩 발생하고 있다고 한다.

대학생들의 음주사고의 원인은 여러 가지가 있겠지만 그 중에 가장 큰 원인은 짧은 시간에 급하게 많이 마시기 때문에 일어난다는 것이다.

특히 문제가 되는 '사발식'은 냉면 그릇이나 세숫대야 같은 커다란 사발에다가 막걸리나 소주를 가득 따라서 한 번에 들이키는 것을 말한다. 마시지 못할 경우 벌주를 또 마셔야 한다.

그런 대로 술을 잘 마시는 사람이라도 취할 텐데 술을 전혀 마시는 못하는 사람이라면 어떻게 될지 생각해보라.

그래서 술이 무서워 신입생 환영회에 참석하지 않는 학생들이 늘어나고 있다지만, 선의의 피해자는 언제든지 발생할 수 있다.

오리엔테이션이나 환영회에 가서 처음으로 술을 마시면서 자신의 주량을 알게 되는 경우도 많을 성싶다.

그럴 경우 술이 자신의 체질에 맞는지, 어느 정도의 술이라야 소화해낼 수 있는지 세심한 주의가 필요하다.

술을 마셔야 할 때는 강술은 피하고 안주도 함께 먹는 것이 좋다.

술은 빈속에 마시지 말고 마시기 전에 밥을 먹거나 적당히 배를 채우는 게 좋다. 안주는 콩 요리나 생굴, 쑥갓 등이 좋고 술 마시기 전에 비타민이나 야채 주스, 과일을 섭취하면 도움이 된다.

술을 마신 후 해장을 하려면 미역, 해조류 등 칼슘과 철분이 많은 알칼리성 음식을 먹고 수분을 많이 섭취하는 것이 좋다. 보리차나 생수, 꿀물도 숙취 해소에 도움이 된다.

# 대학의 절주節酒 동아리 활동~

대학에서의 술자리는 선후배의 위계질서로 상당히 강압적일 때가 많다. 그렇다 보니 강제로 술을 권하게 되고 폭음이나 과음의 폐해 등 잘못된 음주문화가 만연해 있다.

이것은 학생 신분의 성인으로 첫 발을 내디디는 시기라는 점에서 심각한 문제로 지적되고 있다.

그럼에도 해마다 새 학기가 되면 전국의 대학에서는 신입생을 대상으로 한 MT 활동이 시작된다. 이때 빠지지 않는 게 술이다.

술은 대학 신입생 MT의 주제처럼 등장한다. 참석한 새내기들은 대학생이 된 들뜬 기분으로 권하는 대로 술을 마시게 된다.

그런데 술을 못 마시거나 마셔본 적이 없는 학생들에겐 여간 고역이 아니다. 술에 잘 적응하지 못하는 새내기들이 MT에서 목숨을 잃었다는 뉴스도 해마다 빠지지 않는다.

이런 일이 해마다 반복되는데도 확실한 대책을 세웠다는 이야기는 들어보지 못했다.

몇 년 전 미국 MIT대학에서도 신입생 환영회에서 술을 많이 마신 학생이 숨졌다. 학교 측에서는 숨진 학생의 유족에게 52억 원을 배상한 사례가 있다. 우리나라 대학에서는 이런 사고가 잇따르는데도 대학에서 책임지는 모습은 찾아볼 수가 없어 안타깝다.

5월은 축제의 계절이다.

대학마다 학내 축제 행사로 바빠지기 시작한다. 축제의 단골 메뉴는 단연 "부어라, 마셔라"와 같은 술 마시기 행사다.

이런 분위기에도 아랑곳하지 않고 자체 제작한 야광 팔찌를 나누어주며 적당한 음주와 즐거운 술자리를 권하는 이들이 있다.

절주 동아리 회원들이다. 이들은 그동안 잘못된 관행을 개선하고 올바른 음주문화에 대한 인식을 정착시키기 위해 캠페인을 벌이고 있다.

음주 고글 착용, 귀가 시간 정해놓고 술 마시기, 올바른 음주문화 5계명 알기 등이 인기다.

중국의 유명한 시인으로 자가 태백太白인 이백李白의 별명은 '주중선酒中仙'이다. '술을 마시는 신선'이라는 뜻이다.

이백의 별명처럼 신선과 같이 올바르고 바람직하게 풍류로서 술을 즐길 수 없을까?

이백처럼 올바르고 바람직하게 풍류를 즐기자는 모임이 있다. 인하대학교의 절주節酒 동아리 '주중선'이 그런 모임이다.

'주중선주중선酒中仙'이 건전한 음주문화의 정착을 위해 활동하고 있는 내용을 살펴보자.

'주중선'의 주요 활동내용은 음주운전근절서명운동, 저알코올 칵테일 시음행사, 캠퍼스 내 음주폐해관련 시각자료 전시, 알코올 중독검사와 상담, 대학생 대상 가상음주체험, 대학축제기간 건전음주 현수막 게시, 건전음주 슬로건 공모전, 119 절주서명운동, 인천 문학야구장 관람객 대상 건전음주 캠페인 활동, 전통주 홍보 교육관 답사 등이다.

'주중선' 모임 말고도 몇몇 대학에 절주 동아리가 생겨 활동에 동참하는 학생들이 늘어나고 있어 희망을 갖게 한다.

학생들은 건전한 음주문화 정착은 물론이고 절주를 하려는 학생들도 돕고 있다.

이들은 동아리 활동에 적극 참여하라고 강조한다.

절주 동아리에 참여하면 지역보건소 등 많은 공공기관과 함께 의미 있는 활동을 할 수 있을 뿐만 아니라, 활동할 때 봉사활동 인센티브가 부여되며, 절주 동아리 활동은 대학생활을 뜻 깊게 보낼 수 있는 좋은 기회라고 한다. 캠퍼스 내의 건전한 음주문화 정착과 음주폐해 예방을 목적으로 만들어진 대학생들의 절주 동아리 활동은 대한보건협회의 적극적인 지원 아래 활발한 활동을 펼치고 있다.

이러한 대학 절주 캠페인은 현재 고려대. 건국대, 삼육대, 덕성여대, 이화여대, 동덕여대, 인하대, 을지대를 비롯하여 전국의 60여 개 대학에서 활발하게 진행되고 있다.

절주 동아리에 참여하는 학생들은 대학 내에 건전한 음주문화의 정착을 주도하며 캠페인, 모니터링, 교내 공모전 퍼포먼스 개최 등 다양한 활동을 펼친다.

대학가의 음주문화는 오래 전부터 자리 잡고 있어서 음주문화를 완전히 배제하기는 어렵다.

그러나 잘못된 음주문화에 대해 개선하려는 모습을 보일 때 대학가의 잘못된 음주문화와 관행도 바뀔 수 있을 것이다. 무엇보다 대학 주변 지역의 건전한 음주문화 형성이 급선무일 것이다.

물에 빠져 죽은 사람보다 술잔에 빠져 죽은 사람이 더 많은 현실이다.

술에 빠져 생명을 잃는 사람들 중에는 대학생이라고 예외가 아니다. 대학에 들어가면서 성인의 나이에 접어드는 대학생 시절에 술을 잘 배워야 한다. 처음 시작할 때 술을 잘못 배우면 술에 빠져 죽는 일이 생길지 모른다.

당연히 술을 끊거나 금주禁酒를 하는 것이 가장 좋다. 그러나 금주가 어렵다면 절주節酒를 하면서 자신의 주량을 알고 술을 마시는 등 건전한 음주문화를 지켜야 한다.

절주 운동과 함께 건전한 음주문화 동호회 활동이 전국의 대학으로 확산되어 희망의 씨앗을 뿌리고 있어 그나마 다행스럽다.

제6장

# 마시더라도 잘 마셔라

# 금주가 어려우면 절주하라

많은 사람들은 금주를 원하지만 그게 잘 되지 않는다고 어려움을 호소한다. 이런 어려움은 비단 21세기를 살아가는 현대인만의 고통은 아니다. 세종실록의 기록을 보자.

"관리와 백성이 술 때문에 덕을 잃는 일이 가끔 있는데 이는 고려의 풍조가 없어지지 않은 탓이다. 이는 매우 민망한 일이다." 〈세종실록 15/10/28〉

술을 좋아했던 고관대작들은 어떻게 음주 관리를 했을까?

이런 의문이 들 때가 많았고 문득 생각나는 사람은 송강 정철이다. 선조 때의 정치가로 가사 문학의 대가였던 그는 원칙과 소신을 중시하며 타협을 거부했고, 특히 술을 좋아했던 것으로 유명하다.

이에 유성룡은 "술에 취한 정철이 일을 제대로 하지 않는다."고 비난했고 〈선조 수정 실록〉에는 "술에 취하면 탐학한 사람을 미워하며 높고 낮음은 가리지 않고 면전에서 꾸짖었다."고 되어 있다.

선조는 은잔과 옥잔을 하사하며 "하루에 은잔으로 석 잔 이상을 마시지 말라."며 절주를 명했다.

워낙 술을 좋아했던 그도 어명을 거역할 수는 없는지라 임금이 하사한 은잔을 두들겨 사발처럼 크게 만들어 술을 마셨다고 한다. 하루에 석 잔씩.

정철은 수백 년이 지난 지금도 은잔으로 술을 마신다. 추석이 되면 그의 종손이 은잔에 술을 따라 정철을 모시고 옥잔에 술을 따라 정철의 아내인 정경부인 문화류씨를 모신다.

술을 즐기기로는 정철에 버금가는 사람이 세종 때의 학자 윤회다.

열 살의 어린 나이에 〈통감강목〉을 외울 정도로 총명했던 그는 민첩함으로 태종과 세종의 극진한 사랑을 받았다.

일처리가 공명하고 진실했던 그에 대해 세종은 "학문이 고금을 통달했다. 세상에 보기 드문 재주를 지녔다."고 평가했다.

훗날 문신의 최고 영예인 대제학에 오른 그는 세자의 스승인 빈객을 맡기도 했다.

술에 대해 절제력이 강했던 세종은 15년(1433년) 10월 28일 음주 대책을 교지로 내린다.

주자소에서 인쇄하여 서울은 물론이고 지방에도 반포하여 만백성에게 술의 폐해를 알리고 바르게 마시는 법을 알게 했다.

백성들에게 음주의 문제점을 지적하면서 음주로 인해 패망한 나라와 인물을 소개하고 절주를 한 사례도 적었다. 또한 조선의 정책과 현실을 말한 뒤 지켜야 할 당부의 내용을 알렸다.

첫째, 음주의 취지.

세종은 술에 대해 조상의 영혼을 받들고, 손님을 대접하고, 나이 많은 이를 부양하는 방편으로 설명했다.

둘째, 음주의 해독.

임금은 여러 안타까운 점을 열거했다. 곡식을 썩히고 재물을 허비하는 한편 마음과 의지를 손상시키고 위엄을 잃게 한다고 했다. 혹은 부모의 봉양을 소홀히 하고, 남녀의 분별을 문란하게 하는 폐해도 지적했다. 해독이 크면 나라와 집을 망하게 하고 그렇지 않더라도 개인을 파멸시킨다고 경고했다.

셋째, 음주 피해 사례.

상나라의 주왕과 주나라의 여왕이 술로 나라를 망친 예를 들었고, 전한의 진준이 흉노에 사신으로 갔다가 술에 취하여 살해된 점도 서술했다. 후한의 정충은 여러 장수를 찾아다니며 술을 먹더니 창자가 썩어 죽었다는 사례도 들었다. 신라가 포석정에서 패하고, 백제가 낙화암에서 멸망한 것도 술 때문으로 해석했다. 고려도 말기에 상하가 서로 술에 빠진 탓에 멸망한 것으로 풀이했다.

넷째, 음주를 극복한 사례.

진나라 원제는 술 때문에 정사를 폐하는 일이 많았는데, 왕도의 간언을 듣고 아예 술을 끊었다. 원나라 태종은 날마다 대신들과 함께 취하도록 마셨으나 야율초재의 말을 듣고 하루에 석 잔으로 제한했다.

다섯째, 조선의 술에 대한 정책.

관리와 백성이 술 때문에 덕을 잃는 일이 가끔 있는데, 이는 고려의 풍조가 다 없어지지 않는 탓으로 해석하고 매우 민망한 일이라는 생각을 밝혔다.

임금은 마지막으로 전 백성이 지켜야 할 내용을 다섯 가지로 전해 널리 알렸다.

하나, 중앙과 지방의 대소 신민들은 나의 간절한 생각을 본받고 과거 사람들의 실패를 귀감으로 삼아라.

하나, 업무에 지장이 될 정도는 술을 마시지 말라.

하나, 과음으로 몸을 병들게 하지 말라.

하나, 술을 수시로 마시는 병폐에서 벗어나 바른 예절을 지키게 하라.

하나, 술을 절제하여 건전한 사회 풍속을 마련하라.


세종의 술에 대한 시각은 금주禁酒였다. 술을 마시지 않는 것을 좋다고 보았다. 그러나 제사와 손님 접대 등을 감안해 현실적으로는 절주節酒를 권장했다. 세종은 음주에 대한 폐해를 너무 잘 알고 금주나 절주를 강조했던 것이다.

(이상주의 『세종의 공부』 참조)

# 1차로 끝내는 음주문화

술을 좋아하는 사람들은 1차로 끝나는 게 항상 아쉽다. 그래서 누군가의 입에서 입가심이나 하자는 소리가 떨어지면 2차는 맥주 집으로 향한다.

문제는 1차에서 마신 술 때문에 2차, 3차로 가게 되면 금세 취하게 되고 우의를 돈독하게 하기 위해서라지만 별 의미가 없는 술자리가 되고 만다. 그리고 마침내 사람이 술을 마시고 술이 술을 마시고 술이 사람을 마시는 꼴이 되고 만다.

술을 적당히 마시면 인간관계를 발전시키는 데 도움이 된다는 말에 수긍한다. 인간관계의 형성에 빼놓을 수 없는 역할을 한다고도 할 수 있다.

술이 나쁜 것이 아니라 과음過飮이나 폭음暴飮이 문제라고 하겠다. 2차, 3차 횟수를 거듭하여 마신 것을 자랑삼듯이 하던 시절은 옛날 말이다. 이제 가볍게 1차로 끝나는 음주문화가 정착되어야 한다.

사람은 이성적 동물이라고 하는데, 꼭 그렇지만도 않다.

이성적이면서 감성적이다. 나 역시 술자리를 그렇게 쉽게 끝내지 못했다. 술을 한 잔 하고 나면 2차가 생각났다. 1차만 간단히 마시고 헤어지기로 생각했는데 술을 마시다 보면 그게 잘 되지 않았다.

술에는 항상 마력이 있었다. 1차에서 마신 술기운으로 2차를 원하게 되고 2차 가서 한 잔 더 하자며 덜컥 술을 사는 경우 바로 이성적인 생각이 둔해진 것이다.

2차로 간 곳이 말처럼 입가심으로 끝나지 않는 경우가 많다.

신고를 받고 현장에 출동해 보면 항상 아쉽고 안타까운 생각이 든다. 특히 폭음暴飮으로 인해 발생한 사건사고의 경우가 더욱 그렇다.

2013년 12월의 어느 날 저녁, 사냥을 즐기는 동호회원 서너 명이 2차까지 마시고 노래방에 갔다.

아주 사소한 문제로 시비가 일어나 노래방을 나오다 싸움으로 번졌다. 모두들 술이 많이 취한 상태라 사건 내용도 잘 알 수 없었다.

한 사람이 계단에 쓰러져 먼저 119 구급차량을 불렀고, 남은 두 사람 중한 사람은 집으로 순찰차에 태워 귀가를 시켰다. 먼저 병원으로 후송시킨 사람이 쓰러지면서 중태에 빠져 뇌사상태가 되었다.

뇌사 상태에 빠졌던 사람의 아내가 며칠 후에 경찰서로 찾아와 그가 불귀의 객이 되었다며 수사를 요청했다.


34세의 회사원 민도현 씨는 4명의 지인들과 술을 마시기 시작했다. 2차에서는 술을 얼마나 마셨는지 생각이 나지 않는다고 했다.

새벽 3시경 그는 술에 취해 입고 있던 옷을 전부 벗어버리고 도로를 걸어가고 있었다.

"옷을 벗고 걸어가는 사람이 있다."는 신고를 받고 현장에 가보니 민도현 씨가 맨발로 걸어가다 발을 다쳐 인도 구석진 곳에 앉아 있었다.

민도현 씨를 파출소에 데려와서 이유를 물었지만 1차로 술 마신 이후는 생각이 나지 않는다고 했다.

집으로 연락하여 잠자고 있던 그의 부모님이 깜짝 놀라 옷가지를 가져왔다. 입에 침이 마르도록 민도현 씨가 착실하다는 말을 했지만 막상 아들의 행색을 보고는 입을 다물지 못했다. 휴대전화를 비롯하여 지갑과 서류가방, 옷가지에 대해서는 분실신고를 했다.

결국 민도현 씨를 즉결심판에 회부했지만 그는 평소 지극히 건강하고 건전한 정신을 가진 회사원이었다. 이런 정상인도 술에 취해 이성을 잃으면 자신이 무슨 짓을 했는지도 모른다.

술에 관련된 사건을 유심히 살펴보면 대부분은 1차로 끝나지 않았기 때문에 일어난 일이라는 것을 알게 된다. 정신을 놓고 술을 마셨으니 정신을 잃는 것은 당연하다.

문제는 이렇게 실수하는 일이 잦아지다 보면 소위 '블랙아웃'이라고 하여 필름이 끊기는 일이 발생하게 마련이라는 것이다.

절주를 하든지, 건전한 음주습관으로 바꾸어야 한다는 신호등이 들어온 셈이다. 계속 방치하고 마시다가는 나쁜 음주 습관이나 알코올 중독자로 빠지는 일은 시간문제다.

# 절대로 빈속에 술 마시지 마라

세계보건기구의 권장 알코올 섭취량은 남자 소주 5잔(40g), 여자 2잔 반 (20g)이다. 사실은 이것도 잘못된 권장량이 아닌가 하는 생각이 들 때가 많다. 왜냐하면 우리나라 남성은 64%가 권장량 이상 술을 마시고, 여성은 70% 가까이 그 이상 마신다고 답했다는 것이다.

하긴 권장 알코올 섭취량이라는 표현부터가 잘못이다. '권장'이 아니라 '한계'로 설정해야 하기 때문이다. 남성은 소주 2병, 여성은 소주 1병 이상 마시면 '매우 위험하다.'고 한다.

적당한 음주는 건강에도 좋다고 강조하는 사람들이 있지만 그런 건 없다. 왜냐하면 사람마다 건강 상태가 다르고 주종이나 술자리 분위기, 마시는 시간에 따라 차이가 나기 때문이다.

지인 중에 구자청 씨는 술을 잘 마시는 사람이다. 그는 소주를 좋아한다. 한동안 주전자에 양파와 오이, 고추를 썰어 넣은 소주를 마셨다. 그러다 언제부턴가 소주를 빈속에 그것도 냉장고에서 막 꺼낸 차가운 것으로 마시기를 좋아했다.

"캬~ 술은 바로 이런 맛이야!"

구자청 씨는 이렇게 감탄사를 쏟아내며 빈속에 차가운 술이 들어갈 때의 찌릿하고 짜릿한 느낌을 즐겼다.

냉장고에서 갓 꺼낸 차가운 소주를 좋아하던 그는 위궤양으로 한동안 고생했다. 그가 즐겼던 찌릿함이 위 점막 손상의 원인이라는 것을 나중에 알게 되었다고 한다.

술을 마시더라도 절대로 빈속에는 마시지 말아야 한다. 건강을 생각한다면 위장이나 심장에 지극히 나쁘기 때문이다.

술을 잘 다스리는 사람들은 절대 빈속에 술을 마시지 않는다.

적어도 술을 마시기 1~2시간 전에 밥이나 가벼운 식사로 허기를 채운다. 하다못해 계란 반숙이라도 하나 만들어 먹어두라고 전문가들은 조언한다. 그렇지 않고 빈속에 술을 마시면 안주나 술로 허기를 채우려고 급하게 많이 마시기 때문이다.

또 안주를 먹지 않고 술을 급하게 마시면 당연히 빨리 취한다. 두부나 콩나물 종류의 안주도 술이 덜 취하게 하는 방법 중의 하나다.

술 마시는 동안에도 가급적 물을 많이 마셔두면 좋다. 몸속의 수분 증발을 채워줄 수 있기 때문이다.

술은 잘 다스리면 약이 될 수도 있지만 잘못 다스리면 십중팔구 병이 된다. 빈속에 술을 마시면 좋지 않다고 하여 기름진 안주를 찾는 것도 피해야 한다. 복부비만이나 심혈관 질환 등에 썩 좋지 않다.

한국 사람들이 유별나게 위장 장애가 많은 것도 술을 많이 마시는 것과 무관하지 않다고 한다.

# 자가용 열쇠는 반드시 사무실에 두고 가라

"사람이 술을 마시고 술이 술을 마시고 술이 사람을 마신다."

불교 〈법화경〉에 나오는 말이다. 근심을 잊기 위해서나 기쁜 일이 있을 때 찾는 게 술이다. 어떤 이유가 되었든 술을 마시게 되면 술이 또 술을 부르게 마련이다.

술을 마시면 술의 힘으로 대담해지는 사람을 흔히 볼 수 있다. 평소에 얌전하게 말이 없던 사람도 술만 들어가면 목소리가 커지고 심지어 아무에게나 시비를 걸기도 한다.

그뿐만이 아니다. 술이 들어가면 희한하게도 운전을 하고 싶어 하는 사람도 있다. 음주 운전은 나와 다른 사람에게 심각한 피해를 줄 수 있는 범죄 행위다.

술 마신 다음에는 반드시 대리운전을 시키거나 대중교통을 이용해야 한다. 대리운전을 이용하는 경우에도 주차장까지 완벽하게 주차시켜 달라고 요구해야 한다.

간혹 집 앞까지 잘 와서 불과 몇 미터를 남겨두고 주차하려고 하다 사고를 일으켜 불이익 처분을 받는 사례가 많이 발생되고 있기 때문이다.

음주 운전을 하지 말아야 하는 것은 경찰관도 예외가 아니다.

거의 매일이다시피 음주 운전을 하지 말자는 수뇌부의 지시에도 불구하고 음주 운전이 근절되지 않고 있다.

심지어 정년을 불과 몇 년 앞둔 사람이 음주 운전을 하다 사고가 발생하여 중징계처분을 받는 일도 있었다.

김동준은 서울 외곽의 한 경찰서 경무과장이다.

그는 매일 경찰서 소속 부하직원들의 근무상태나 복무규율을 앞장서서 교양하는 주무과장이다.

평생 성실하게 근무하여 정년퇴직을 불과 2년여 남겨 두고 있었다.

지난 5월 '세월호 참사'로 유족을 비롯한 국민들이 슬픔에 빠져 있을 때였다. 서장을 대신해서 부하 직원들에게 거의 매일 술을 마시지 말라는 교양은 물론이고 부단하게 다독이고 모범을 보여야 할 주무과장임에도 술을 마시고 운전을 하다 가로수를 추돌하는 사고를 냈다.

그 사실은 삽시간에 인터넷을 도배했다. 부하 직원들을 비롯한 전국의 경찰관들에게 비난의 대상이 되고 말았다.

처음엔 아무도 믿지 않으려고 했다.

"설마" 주무과장인데 술을 마시고 운전을 했을까?

그런데 사실이었다. 술은 이런 것이다. 그도 "설마" 하는 심정으로 술을 마시고 운전을 했을 것이다.

결과는 참혹했다. 매일 교양을 시켰지만 아마 알코올 치매로 교양시킨 사실조차 순간적으로 잊지 않았나 싶다.

젊은 나이에 경찰에 투신하여 평생을 경찰로 보내고 명예로운 퇴직을 앞둔 그에게서 술은 모든 것을 앗아가고 말았다.

그런 일이 비단 김동준 과장의 일로만 그칠 거라고 생각하지 않는다.

술을 좋아하다간 언젠간 자신도 모르게 불행의 주인공이 될 수 있음을 알아야 한다.

도로교통공단의 〈2011년 교통사고 발생현황 및 분석결과〉에 따르면, 한 해 동안 우리나라에서 발생한 교통사고는 221,711건으로 5,229명이 숨지고 341,391명이 다친 것으로 나타났다.

이는 하루 평균 607건이 발생하여 14명 이상이 사망한 것이다. 그나마 이 통계는 10년 전에 비해 발생건수는 5,167건(△2.3%), 사망자는 276명 (△5.0%) 감소한 것이라고 한다.

이제 음주로 인한 사회문제는 음주 운전만이 아니다.

술 때문에 발생되는 여러 가지 피해는 심각한 실정이다.

술을 좋아하는 대가가 만만치 않다는 뜻이다.

술로 인한 여러 문제들을 예방하기 위해 우선적으로는 국가에서 알코올 문제를 종합 연구하는 기관을 설립하는 것이 가장 중요하다고 본다.

또 한 가지 특기할 사항은 매년 여성과 청소년들의 음주가 폭발적으로 증가하는 현상이다.

여성과 청소년의 음주는 여성 음주 운전자의 증가와 더불어 빈발하는 오토바이나 차량의 음주 운전 사망사고와 밀접한 연관이 있다.

교통사고는 한국전쟁 이후 가장 많은 사람들이 생명을 잃고 있는 사망의 원인이다.

술을 마시고 운전을 하다 생명을 잃거나 신체장애가 되는 경우 많은 사람들의 가슴을 아프게 한다.

더욱이 음주 운전 당사자의 불행도 불행이려니와 음주 운전 차량에 의해 피해를 입은 사람의 불운은 또 어찌 할 것인가.

음주 운전의 폐해는 개개인의 차원을 넘어 국가적으로도 크나큰 손해가 아닐 수 없다.

이러한 음주 운전은 술을 마시면 자신도 모르게 운전하고 싶어 하는 욕구에서 비롯된다.

회식을 하거나 모임이 있는 날은 아예 자동차 열쇠를 사무실에 두고 나가는 것이 사고를 예방하는 가장 확실한 방법이라고 하겠다.

# 술은 천천히, 수다는 열심히, 물은 넉넉하게

술자리에서는 대개 술잔에 술을 따르고 건배사를 한 다음 "원샷!"으로 마신다. 술잔 돌릴 기회만 있고 숨 돌릴 틈은 없는 셈이다.

이렇게 술잔을 돌리면 낭패를 당하기 십상이다. 술자리에서 너무 빨리 술을 마시면 쉽게 취할 수밖에 없다는 사실을 반드시 기억해야 한다.

술을 자신의 의지대로 다스리며 마시는 방법은 있다.

술은 열심히 수다를 떨어가며 천천히 마시고 물을 자주 많이 마시라는 것이다.

가끔 분위기가 흥겨워 빨리 마시다 보면 알코올 분해 속도보다 우리의 장기에 흡수되는 양이 많아져 간에 무리를 주게 된다.

되도록 '원샷!'은 자제하고, 잔 비우기를 강권하는 대신 스스로도 술을 천천히 마시도록 습관을 바꾸어 나가야 한다.

술을 천천히 마시는 방법 중의 하나는 술잔을 받아놓고 최대한 수다를 떨며 말을 많이 하는 것이다.

선진 외국의 음주문화처럼 술잔을 받아놓고 대화를 즐기는 풍토로 바꾸어야 한다.

술잔을 받아놓고 말을 많이 할수록 몸에 들어온 알코올 성분을 배출할 수 있는 여유가 생기기 때문에 취기醉氣를 조절하면서 마실 수 있다.

술을 마시기 전이나 마시는 도중에 물을 많이 마시는 것도 좋다.

술을 마시면서 물을 자주 많이 마시면 소변보는 횟수가 늘어나서 술로 인한 부산물과 노폐물을 처리하고 체내의 알코올 도수를 낮춰 알코올의 흡수 속도를 줄여준다.

이온음료도 알코올과 수분 대사로 인해 빠져나가는 전해질을 보충해 주어 술이 덜 취한다.

무엇보다 자신의 주량을 정확히 알고 넘치지 않도록 술의 양을 조절하는 것이 중요하다.

취기는 자신의 주량, 체중, 수분 비율, 체지방, 키, 영양상태, 컨디션과 같은 변수에 따라 달라진다. 과신하지 말고 적당히 마시는 것이 술을 가장 잘 다스리는 비결이다.

건강보다 나은 재산은 없다.

술 때문에 건강을 망치는 일은 없어야 할 것이다.

## 음주문화 개선에 앞장서는 경찰

나하나 꽃피어
풀밭이 달라지겠냐고
말하지 말아라
네가 꽃피고 나도 꽃피면
결국 풀밭이 온통
꽃밭이 되는 것 아니겠느냐

(하략)

조동화 시인의 〈나 하나 꽃피어〉라는 시다.

나는 개인적으로 이 시를 무척 좋아한다. "나 하나쯤이야" 하는 말은 부정적인 생각이 많이 담겨 있지만, "나 한 사람이라도"라는 말은 정반대다. 〈나 하나 꽃피어〉는 바로 긍정과 희망을 내포하고 있다.

그동안 일부 경찰관들이 "나 하나쯤이야" 하는 생각으로 술 마시고 자체 사고를 일으켜 조직 구성원은 물론 국민에게도 실망감을 안겨주었다.

급기야 이대로 두어서는 안 된다는 공감대가 형성되어 10만 경찰이 건전한 음주문화 개선을 위해 팔을 걷어붙였다.

경찰청에서 시작된 음주문화 개선 노력은 각 지방경찰청 단위로 확산되고 이제 전 경찰관들에게 뿌리를 내려가고 있다.

술에 취해 경찰 의무를 위반한 사람 때문에 본인은 물론 소속 동료 경찰관들이 손해를 입을 때가 많다. 예를 들면 연말에 지급되는 성과 보상금을 편성할 때, 의무 위반으로 적발된 경찰서는 평가 점수가 낮게 매겨진다.

최상급과 최하위급 점수는 성과 보상금에 많은 차이가 난다. 자연히 옆 동료에게 피해가 되지 않도록 노력한다. 그렇지만 현실에서는 매번 "이번이 마지막일 테지?"라고 해도 또 누군가는 술을 마시고 음주 운전을 하거나 사고를 쳐서 기강을 무너뜨린다.

수도 치안을 맡고 있는 서울경찰은 각 경찰서 단위로 홍보활동에 앞장서고 있다. 건전한 음주문화 정착을 위해 서울경찰 자정 결의대회를 비롯하여 동료들 간의 격의 없는 소통 등 다각적인 노력을 하고 있으며 상응하는 효과도 나타나고 있다.

---

 보건복지부 권장, 음주 습관 10계명

1. 자신의 주량을 지키며 동료에게 억지로 권하지 않기.
2. 도수가 낮은 술을 마시며 폭탄주는 절대 금하기.
3. 빈속에 마시지 않기.
4. 되도록 천천히 마시기.
5. 술 잔 돌리지 않기.
6. 원하지 않을 때 마시지 않겠다는 의사표시 확실히 표현하기

> 7. 술자리는 1차에서 끝내기
> 8. 약을 복용하는 경우 마시지 않기
> 9. 매일 계속해서 마시지 않기
> 10.조금이라도 음주한 후에는 운전하지 않기

서울경찰은 구체적인 실천 방안으로 보건복지부에서 권장하는 〈음주 습관 10계명〉을 비롯하여 2~3차 밤늦게 이어지는 술자리, 내림술, 술 강권(벌주), 한 번에 비우기(원샷) 등 버려야 할 습관을 숙지하도록 하고 있다. 또 술자리는 1차에서 1가지 술로 2시간 이내에 끝내자는 112운동과 음주 자기 결정권, 폭탄주 거부권, 2차 거부권 등 3권리 운동도 권장사항이다.

경찰서 경무과에서는 앞에서 말한 사항을 실천하기 위해 매주 수요일 문자를 전송하고, 매월 설문조사를 한다.

또 점차 목표치를 향상시키고, 계별로는 자체회의 때 올바른 개선 사례 릴레이 낭독과 자기진단 체크리스트 작성을 통해 스스로 음주습관 관리 개선을 하고 있다.

이러한 경찰관들의 건전한 음주문화 개선 운동이 전국 애주가들에게도 확산되었으면 좋겠다. 사실 경찰관도 한 가정의 가장으로서 매일 '희로애락'을 경험한다. 다만 '희로애락'에 술이 꼭 필요한 것은 아닐 것이다.

그렇다고 사회생활을 하면서 술을 멀리할 수만도 없는 것이 현실이다.

10만 경찰이 건전한 음주문화 정착에 동참하여 스스로 변화하기 시작했다는 점에서 희망을 갖고 참으로 다행스럽게 여긴다.

법을 집행하는 경찰 구성원 한 사람 한 사람이 변화되어 간다면 건전한 음주문화의 기풍이 기하급수로 확산되어 나갈 수 있을 것이기 때문이다.

# 지방자치단체의 금주 운동

지난해 서울시가 연말연시를 맞아 음주의 위험성을 알리는 절주 캠페인을 펼쳤다. 서울시는 기존 120 다산콜 서비스 항목에 없던 알코올 상담 서비스를 운영하기 시작했다.

알코올상담센터를 문제가 있는 음주자나 알코올 의존자와 연계하여 빠른 치료와 회복에 도움을 주고 가족의 고통부담을 덜어주자는 취지다.

서비스의 내용은 지역별 알코올상담기관 연락처, 예방과 재활 프로그램, 치료 서비스와 입원연계 등의 정보를 연중 제공하며 평일 오후 6시 이후나 토요일 및 공휴일의 상담은 정신건강 hot line(1577-0199)에 연계된다.

서울 송파구는 2013년 9월 27일 〈착한 음주문화 조성을 위한 조례〉를 제정해 공포했다.

조례는 공원·어린이놀이터·버스정류장과 택시 승강장을 '음주청정지역'으로 지정해 관리하도록 했으며 청소년 절주교육과 '청소년 클린 판매점 지정' 등의 내용도 담겼다.

또한 알코올 중독자들에게 재활 서비스를 제공하고 구에서 발행하는 홍보물에는 주류 광고와 후원을 제한하는 내용도 포함됐다.

서울 성북구가 2009년 11월 1일 전국 최초로 절주 관련 조례를 제정, 공포한 데 이어 인천시도 절주 문화 정착을 위해 나섰다.

인천시는 시민들의 절제되고 안전한 음주문화 정착과 생명사랑 실천을 위해 매주 수요일을 '절주의 날'로 정하고 2013년 6월 12일부터 '절주와 생명사랑 캠페인'을 시작했다.

'절주의 날 및 생명사랑 캠페인'은 1주일 동안 절주 및 생명사랑을 위해 마음을 다지는 날이다.

인천시는 공공기관부터 우선 실천한 후 시민참여를 확대해 사회 전반에 정착시켜 나갈 계획이라고 밝혔다.

영등포구청도 국가적 난제 중 하나인 노숙인 문제를 해소하는 차원에서 거리 노숙자를 대상으로 금연·절주·약물 오남용 예방 프로그램을 실시해 건전한 사회 구성원으로 새 출발할 수 있도록 지원했다.

서울 양천구는 알코올 의존과 음주 예방 교육에 관심과 열정이 있는 대학생을 대상으로 '절주 지도자 양성 프로그램'을 실시해 총 14명의 학생들에게 절주 지도자 수료증을 수여했다.

절주 지도자 양성 프로그램은 알코올에 대한 지식과 이해를 향상시키고 예방 활동을 위한 지식과 기술을 배우는 과정이다.

서울 강북구는 2012년 전국 절주사업경진대회에서 지난해에 이어 2년 연속으로 우수상을 수상하며 건전하고 건강한 음주문화 정착을 위한 노력이 인정받았다.

보건사회연구원 조사 결과 음주가 초래하는 사회적 비용은 한 해 18조 9839억 원이라고 한다. 늦은 감이 있지만 전국의 지방자치단체에서 건전한 음주문화 정착과 금주禁酒 절주節酒 운동에 앞장서고 있어 희망이 보이는 듯하다.

우리나라의 10대와 20대 음주율은 해가 지날수록 높아지고 있으며 최근에는 처음 술을 접하는 시기가 초등학교 3학년이라는 통계 결과가 나오는 등 그릇된 음주문제가 심각한 수준으로 분석되고 있다.

또한 음주 예방 교육은 학교를 중심으로 한 교육이 보다 체계적으로 접근할 수 있으며, 교육 효과 측면에서도 지역사회 교육 모델과 비교해 그 성과가 높은 것으로 나타났다.

100세 건강 시대에 살고 있다. 국가와 지방자치단체에서도 건전한 음주문화 대책을 마련해야 하는 것은 당연하다.

미국이나 유럽에서는 주말이 아닌 평일에 술을 마시는 사람을 이상한 사람으로 취급한다. 우리나라는 술을 너무 쉽게 구할 수 있고 쉽게 마실 수 있는 환경 자체가 문제다.

아무 데서나 담배를 피우지 못하게 하는 것처럼 술에 대해서도 담배만큼 규제가 따라야 한다는 생각이다.

(전국매일신문 2013년 3월 14일자 & 9월 27일자, KBS보도 2013년 6월 21일자, 아시아경제 2012년 12월 23일자, 더리더 2013년 5월 31일자 참조)

# 대기업도 음주 문화 개선에 동참

송년회의 계절인 연말연시가 가까워지면 사람들의 바쁜 발걸음만큼 바쁘게 찾는 게 술이다. 이러한 모임에서 소비되는 술은 1년 내내 마신 술보다 결코 적지 않다.

예방 캠페인과 단속 강화에도 불구하고 연말연시면 음주 운전자는 더욱 증가하고 있다.

술의 폐해가 날로 증가하자 대기업도 팔을 걷어붙이고 나섰다.

지난해 삼성전자 직원들이 회식 때 가장 하고 싶은 것을 조사했다.

그 결과 '타이 마사지'가 1위를 차지했다고 한다. 그래서 회식을 하면서 술은 가볍게 한두 잔으로 마치고, 대신 '타이 마사지' 숍에서 마사지를 받으며 업무로 뭉친 근육의 피로를 풀기도 했다.

"술은 간단히, 마시더라도 3잔까지만"으로 정하면서 회식문화가 달라지기 시작했다.

이것은 삼성이 지난 2012년 9월부터 전 직원을 대상으로 음주 자제 캠페인에 나선 지 1주일 만에 생긴 변화이기도 하다. 또한 술 마실 때도, "원샷, 강요, 사발주"와 같은 잘못된 음주습관을 '3대 음주 악습'으로 규정하고 대대적인 사내 절주 캠페인을 펼쳤다.

그동안 잘못된 음주문화가 직원 근무 사기와 건강, 업무수행에 악영향을 끼친다는 판단에 따른 것이다.

삼성은 2005년부터 직원들이 단합대회나 문화생활 등을 함께하며 친목을 다지는 활동으로 '즐거운 일터 만들기 GWP(Great Work Place)'를 시행해 오고 있다. 여기다 절주 캠페인이 겹쳐지면 시너지 효과가 클 것이라는 기대감도 갖고 있다.

구성원들의 캠페인 효과로 연극을 관람하는 '문화 회식'을 계획 중인 부서도 있다. 술보다는 조직 활성화 차원에서 야구와 영화 등을 함께 보러 가는 방식으로 변화를 택했기 때문이다.

특히 지난해 삼성이 도입한 '119(1가지 술로, 1차만 하고, 9시 전에 끝내는 회식문화) 캠페인'은 계열사는 물론 다른 기업으로 빠르게 확산되고 있어 많은 기대를 갖게 된다.

얼마 전, 삼성이 '긴축모드'에 들어가면서 서초타운 상권에 영향을 미치고 있다는 것도 같은 맥락이다. 매년 3월 승진 시즌이면 승진한 사람이 한턱을 내는 것도 생략하는 분위기가 되면서 자연스럽게 밤늦게까지 술 마시는 일이 없어졌기 때문이다.

물론 경제사정이 어려워진 것도 원인이겠지만 '119 캠페인' 등 건전한 음주문화가 확산되고 있기 때문이다.

포스코에서도 '222'로 건전음주 캠페인을 실천하고 있다.

222 캠페인은 '잔은 2분의 1만 따르기, 건배 제의는 2번까지, 2시간 이내 회식 종료'를 의미한다.

주당들을 비롯한 일부 직원들 중에는 아쉬움을 토로하기도 했다. 하지만 술을 자제하려는 캠페인은 계속 확산되는 분위기다.

증권사에서도 술 마시는 송년 모임을 자제하고 기부 행사나 깜짝 자선 경매로 이웃과 훈훈한 정을 나누는 송년회가 되고 있다.

중소기업에 다니는 40세의 김종권 씨는 회사의 송년 기획을 담당했다.

그는 기존의 음식점과 맥주 입가심, 노래방을 빌려 보냈던 송년회 대신 색다른 송년회를 기획했다. 저녁 식사는 한두 잔의 와인, 덕담과 게임, 그리고 영화 관람을 했다.

일부 직원들은 허전하다며 아쉬워했지만 대부분 "훨씬 만족스럽다"고 좋아했다.

연말 모임이 "부어라", "마셔라" 하며 술로 시작해서 술로 끝나던 송년회는 점차 줄고 있는 반면, 단체 공연 관람이나 봉사활동, 레포츠와 같이 건전하게 함께 즐기는 송년회는 눈에 띄게 늘고 있다.

기업은 적극적으로 이미지 개선에 나서야 한다.

매번 노조원들이 붉은 머리띠를 두르고 구호 제창을 하면서 데모를 하는 회사를 어떻게 생각하겠는가.

반대로 사회적 약자 보호를 위한 나눔 행사나 독거노인 돕기, 건전한 음주문화 캠페인과 같은 활동으로 이미지 개선에 앞장선다면 기업에 대한 평가는 놀랄 만큼 달라질 것이다.

어쨌든 삼성이나 포스코와 같은 대기업들이 건전한 음주문화 정착을 위해 앞장서자 다른 기업으로까지 영향을 끼치고 있다.

술로 흥청망청하던 송년모임이 검소하고 건전해져서 희망을 갖게 한다.

# 금연전도사 박재갑, 금주 전도사는?

"담배의 중독성에 대해서 끊임없는 홍보를 하고 있는 덕분에 TV연속극, 기업홍보나 광고에 담배를 피우는 모습이 나오지 않습니다."

국립암연구소 소장으로 근무했던 박재갑 교수가 지난해 한 TV방송에 출연하여 담배의 중독성에 대해 이야기하면서 금연운동에 앞장선다는 말에 많은 사람들이 감동을 받았다.

세계보건기구(WHO)에서 발표한 자료에 따르면 전 세계 인구 중 약 13억 명이 흡연하고 있고, 그 중 매년 500~600만 명 정도가 흡연으로 인해 사망하고 있다고 한다.

아직 우리나라에서는 흡연으로 인해 사망하는 인구를 통계자료로 구체화하지 못하고 있지만, 매년 5만 명 이상이 될 것으로 추정하고 있다.

박재갑 교수는 흡연이 얼마나 무서운지에 대해 다음과 같이 말했다.

"1년에 5만 명이면 하루 평균 137명이다. 이는 1987년 115명의 생명을 앗아간 KAL 858기 폭파사고가 매일 반복되는 것보다 많은 사망률이고, 2003년 192명의 생명을 앗아간 대구지하철 화재사고가 2일에 한 번꼴로 반복되는 것과 유사하며, 501명의 생명을 앗아간 1995년 삼풍백화점 붕괴 사고가 4일에 한 번 반복되는 것과 같다. 6·25 한국전쟁 당시 국군 전사자가 총13만 7899명이었는데, 이를 전쟁 기간의 하루 평균 전사자로 계산해 보면 약 122명이 된다. 전시에 사망한 국군 전사자보다 평화 시에 담배로 인한 사망자가 훨씬 많은 셈이다."

현장 근무를 하고 있는 나는 담배의 해독害毒 못지않게 알코올의 해독 또한 대단히 심각하다고 생각한다.

요즘 우리나라는 술을 너무 쉽게 구입할 수 있다. 대형마트나 슈퍼마켓, 24시간 운영되는 편의점에 가보면 알 수 있다. 소주를 비롯해서 막걸리 맥주 등이 냉장고마다 꽉꽉 차 있다.

지구상에서 이렇게 술을 쉽게 살 수 있는 나라는 우리나라 말고 별로 없다고 한다. 음식점 아니라도 얼마든지 쉽게 구할 수 있는 게 술이다.

굳이 따지자면 담배는 피우는 본인이나 간접 흡연자가 피해자다. 그러나 알코올 중독자는 본인은 물론이고 주변 사람들과 가족 모두가 피해자이고 국가적으로도 손해다.

혹시라도 가족 중에 알코올 중독자 한 사람이라도 있어보라. 얼마나 가족을 힘들게 하는지 모른다.

고통은 물론 결국 삶의 질을 떨어뜨린다.

알코올 중독이 아니더라도 술을 마시고 행패를 부리거나 심지어 술에 취해 쓰러져 아까운 목숨을 잃는 일은 또 얼마나 많은가.

흔히 사람들은 조폭을 무섭다고 하지만 주폭酒暴은 조폭組暴보다 훨씬 더 무섭다.

주폭은 일상생활에서 줄곧 삶의 질을 떨어뜨린다. 평소 착실한 사람도 술에 취하면 폭력배로 돌변하여 관공서는 물론이고 가족과 이웃 주민들에게 피해를 주기 일쑤다. 잘못된 음주 습관 때문이다. 주폭은 사실상 조폭보다 더 큰 피해를 주는 것이다.

"그놈은 사람이 아니고 짐승이야! 웬쑤야! 철천지원수야!"

가끔 주취자酒醉者 폭력 현장에 출동해보면 피해자들로부터 이런 말을 쉽게 들을 수 있다.

술에 취해 당하는 가족들의 심정은 이보다 훨씬 더했을 것이다. 가족들의 입에서 스스럼없이 이런 말이 튀어나올 정도로.

그뿐만이 아니다.

술을 마시고 운전을 하다 본인이나 상대방이 피해를 입거나 장애를 입는 일은 또 얼마나 많은가.

경찰청 통계에 의하면 작년 한해 음주운전 교통사고 발생건수는 총 24,994건이었으며, 사망은 1,004명, 부상은 42,165명이었다.

많은 인명 피해와 재산 피해가 났으며, 사망자 수보다 훨씬 많은 운전자들이 구속되었다. 피해자나 가해자 모두 피해를 입는 것이 음주 운전의 참담한 결과인 것이다.


나는 애주가였지만 술을 끊은 지 8년째가 되어가고 있다. 술 하나만 끊어도 세상이 달라지는 기분이다.

내가 단주를 결심하고 술을 끊었다고 해도 처음에는 술친구들이 한 결같이 내 말을 믿지 않았다.

수주 변영로의 『명정 40년』처럼 도저히 술을 끊기 어려운 술꾼이었기 때문일 것이다.

사실 어떤 것에라도 중독이 되면 끊기란 힘든 일이다.

알코올뿐만 아니라 게임, 도박, 마약 등 중독성이 있는 것과 단절하기란 여간 어려운 일이 아니다.

　그런데도 나는 어렵게, 그러나 고맙고 다행스럽게 단주에 성공했다.

　술 마시는 시간에 책에 빠져 살았다.

　그 덕분에 한 권의 책도 쓰게 되었다. 완전 새로운 삶을 살고 있다. 그래서 단주를 해야 한다고 목소리를 높이는 것이다.

　박재갑 교수가 금연 전도사라는 이름으로 담배의 해악을 알리고 금연을 권장하는 데 앞장서는 것처럼 나도 내 경험을 밑천으로 알코올의 해악을 알리고 단주와 금주를 확산시키는 데 미력이나마 힘을 보태려고 한다.

제7장

# 금주가 답이다

## 낭만의 음주문화는 잊어라

『명정 40년』이라는 책이 있다. '명정酩酊'이란 '몸을 가눌 수 없을 정도로 술에 몹시 취한 상태'를 뜻한다.

수주 변영로는 평생 술을 마시고 실수한 것들을 수필로 썼는데, 그 책이 바로 『명정 40년』이다.

내용 중에서 가장 어린 나이에 시작되는 실수는 이렇다.

"영복아!"

(나는 이름이 나와 같다는 사실에 깜짝 놀랐다. 알고 보니 저자의 아명이었다.)

"……"

"아 이놈 영복아!"

"원숭이 왔나?"

성미를 잘 아는 정 교관은 못 들은 체,

"어르신네 어디 가셨니?"

"어디 출입하셨어."

"어딜 가셨을까?"

"모르지."

"이놈, 어린놈이 대낮부터 술이 취해서 학교도 가지 않고."

"대낮이라니, 술은 밤에만 먹는 거야?"

기경奇警하기로 유명한 정 선생도 이에는 어안이 벙벙.

"에잇, 고 자식!" 하고 떠나려 할 때 나는 한걸음 더 내치어,

"여보게, 히로(양담배) 한 개만 주고 가게."

망설망설하다가 휙 한 개를 던져주고 총총 문을 나서었다. (p26~27)


지은이는 5~6세 때부터 술을 마시기 시작했다고 말한다.

술을 찾기 위해 책상, 궤짝 할 것 없이 포개어 놓고 기어오르다 넘어져 온 집안 식구들을 놀라게 한 일도 있다.

또 술이 너무 취해 친구 집에서 잠을 자다가 변소려니 하고 방뇨한 것이 김치 독이었다.

동아일보에 좋은 글을 기고하는 조건으로 받은 50원으로 4명이 술을 마시고 소나비를 맞으며 실오라기 하나 걸치지 않고 '백주白晝에 소를 타고' 오는 이야기도 있다.

술에 취해 길에서 방뇨를 하다 일본 경찰에게 걸려 바보 행세를 하며 현장을 모면하기도 하고, 경찰서 유치장에 입감되어서도 일본 경찰관의 뺨을 때리는 실수를 저지르기도 한다.

밤에 잠을 자라고 준 모포에다가 오줌을 누고 공공기물을 파손한 일도 있었다.

술을 마시고 취해서 실수한 내용이 책 한 권이다.

솔직히 책 한 권뿐이겠는가? 솔직하면서도 재미있게 글을 써서 맘껏 웃

음을 준다.

그것까지는 좋은데 행여나 음주를 낭만으로 여기는 것이 아니었으면 좋겠다. 철없는 술꾼들이 흉내라도 낼까 겁난다는 말이다.

지은이는 술을 끊어야겠다는 생각으로 목에다 금주禁酒 패를 걸고 다니며 6년 동안 실천한다.

그러자 그를 잘 아는 주위 사람들은 그의 말을 믿지 않았다. 그가 누구보다 술을 좋아하여 술을 끊지 못할 것을 잘 알았기 때문이다.

"금주 패는 무슨 놈의 금주 패야, 개패지."

"개가 똥을 끊지, 그 자가 술을 끊다니 거짓말이다."

대부분은 지은이가 금주를 했다는 사실을 믿지 않았다. 그러다 미국으로 볼일을 보러 갔다가 귀국하면서 다시 술을 마시게 된다.

일제 강점기 때 술에 취해 실수한 내용들이지만, 요즘 112신고로 접수되는 내용과 별반 다르지 않다.

지금 그렇게 술을 마시고 경찰서에서 경찰관을 폭행하거나 공공기물을 파괴했다면 현행범으로 입건되어 구속이 되고도 남을 일이다.

그때나 지금이나 술은 많이 마시면 반드시 취하게 마련이고 실수를 하고 만다는 것을 보여 주는 책이라고 하겠다.

거듭 말하거니와 술에 취해서 실수를 저지르는 행태가 호기豪氣로운 자랑거리처럼 읽히는 것은 경계해야 할 것이다.

# 내 인생 최대의 적은 술이다

나는 술을 쉽게 배울 수 있었다.

초등학교 다닐 때였다. 농사를 짓던 부모님은 술심부름을 자주 시키셨다. 그때는 막걸리를 페트병에 담아 팔지 않고, 동네 구멍가게에 주전자를 가져가면 주인이 술독 안의 막걸리를 바가지로 휘휘 저어서 담아주었다.

술심부름을 해오면서 맛을 보기도 했지만, 아버지는 내가 술을 받아 오면 술잔에 조금 따라 주면서 마시게 했다. 달착지근한 막걸리는 어린 나이에도 맛이 있었다.

모심기나 벼 베기 같은 농사일이 있을 때나 타작이라도 하는 날이면 아예 술을 서너 말씩 사놓았다. 일꾼들을 잘 먹여야 한다며 모든 것이 푸짐했다. 어쩌면 술은 종일 열심히 일하게 만드는 수단인 셈이었다. 덕분에 넘쳐나는 술을 몰래 마실 수 있었다.

우리 집에서는 딸기 농사를 많이 지었다. 수확 철인 봄에 딸기 파지를 모아 술독에 넣고 독한 소주와 설탕을 섞어두면 발효가 되면서 딸기주가 되었다. 불과 며칠 가지 않아 마셔도 될 만큼 맛있는 딸기술이 된다.

어느 날 몰래 술독을 열고 족자로 술을 퍼먹게 되었다. 술맛이 혀를 감쌌다. 한 잔 두 잔 마신 술이 나중에는 알딸딸하게 취했다.

이런 사실을 나중에 아신 아버지로부터 엄청나게 혼이 났다. 그때 느낀 일이지만 술도 달콤하게 만들면 끊임없이 마시게 된다는 것이다. 하지만 나중에는 머리가 터질 것 같은 고통을 각오해야 한다.

단지 단맛 위주로 만든 술을 마시고 취하면 오래도록 깨지 않는다.

내 친구도 고등학교 다닐 때 집에서 만든 동동주를 마시고 혼이 난 일이 있다. 마시기 좋게 설탕이나 단맛을 내는 약품을 잔뜩 넣었기에 순간적으로 마시기는 좋다.

하지만 많이 마셨다간 나중에 토하고 쓰러지는 고통을 감수해야 한다.


담배는 군대생활을 하면서 너무나 자연스럽게 배웠다.

군대에서 공짜로 담배를 나눠주었기에 선임들은 담배를 피우지 못하는 사람들도 골초로 만들었다.

나는 강원도의 한 공병부대에서 근무를 했다. 동절기 교육근무가 끝나면 도로공사나 건축을 하곤 했다. 힘든 근무 뒤에는 담배와 술이 따랐다.

군대생활 3년 세월을 보내고 제대를 했을 때 담배는 골초가 되어 있었고, 술도 고래처럼 잘도 마셨다.

20대 후반에 경찰 공무원으로 근무를 시작했다. 그때가 1980년대 초반인데, 민주화 바람으로 수도 치안이 위태롭다고 하여 동기생 전원은 서울로 발령이 났다.

내가 경찰교육을 받고 처음 발령을 받은 곳은 서울 강동경찰서다.

난생처음 고향을 떠나 혼자 객지에서 자취 생활을 해보니 너무나 외로웠다. 그러면서 거의 매일이다시피 데모를 막기 위해 시내로 출동을 했다.

당번과 비번, 격일제 근무를 하고 있었지만 제대로 비번이 지켜진 적은 없었다.

날마다 데모를 막기 위해 진압 복장으로 출동을 했다.

어쩌다 빨리 마치는 날이나 출동이 없는 날이면 파출소 선임자들이 술을 사주기도 했다. 술을 마시면 스트레스가 풀리는 것 같았다. 한참 혈기 왕성한 때였다.

무슨 술을 그렇게 많이 마셔댔는지 지금 생각해도 아찔하다. 술 마시는 것이 일상생활이 될 정도로 비번 날은 술 마시는 날이었다.

직장 선배 중에 술버릇이 나쁜 사람이 있었다.

그런데 공교롭게도 내가 사는 집 부근에 살고 있어 자연스럽게 어울려 술을 마시곤 했다. 술은 어른들에게 잘 배워야 한다는 말이 생각났지만 제대로 배우지 못했다.

결혼하고 아이가 태어난 다음에도 술 마시는 일은 계속되었다. 자꾸 주량은 늘어만 갔다.

대부분은 동료들과 마셨지만 때로는 친구를 비롯해서 주당들과 어울려 마시기도 했다.

어느 날부터는 술을 끊어야겠다는 생각이 들 정도로 실수하는 일도 자주 발생했다. 그런데도 술과 담배를 끊기가 쉽지 않았다.

담배는 국립과학수사연구소에 부검을 하러 갔다가 병든 폐를 보고 당장 끊었다. 폐암으로 사망한 사람의 폐를 부검하는 현장에서 보니 거의 검은 색이 들 정도로 시커멓고 누렇게 병들어 있었다. 그것을 보고도 담배를 계속 피우고 싶지는 않았다.

당시는 지금의 〈생로병사〉나 〈명의〉와 같은 TV프로가 없었기에 다른 사람의 장기를 볼 수 있는 기회가 드물었다.

지금 생각해보면 그때 부검을 하러 갔던 게 얼마나 다행인지 모른다. 그 병든 폐를 보고 금연을 실천했기 때문이다.

40대 중반까지 단주斷酒는커녕 술독에 빠져 살 만큼 술을 좋아했다. 나는 술을 기호식품으로 생각하고 적게 잘 마시면 건강에 도움이 된다는 말을 믿기도 했다. 그런데도 술 주량만큼은 마음대로 자제하지 못했다.

어떤 날은 밤늦게까지 술을 마시고 아침에 출근하여 술기운이 완전히 가시지 않은 상태에서 근무를 하기도 했다.

경찰서 사복 외근 근무를 하고 있었는데 출근해서도 입에서 술 냄새가 났다. 부랴부랴 은단과 껌을 씹기도 했지만 소용없었다.

출근하여 상사의 지시사항을 건성으로 듣고 회의를 마친 다음, 외근 활동을 하면서 차안에서 잠을 자기도 하고 사우나를 하기도 했다. 그래도 피곤은 온종일 풀리지 않았다.

술을 좋아하는 사람치고 음주 운전 한 번쯤 하지 않은 사람이 있을까?

단속이 되지 않아서 그렇지 한두 번 음주 운전 해봤다는 소리는 자주 듣는다. 나 역시 지금도 하늘을 우러러 술 마시고 운전을 하지 않았다는 말을 당당하게 하지 못한다. 20년이 훨씬 지난 일이다. 그렇게 술을 좋아하며 마냥 헛세월을 보내고 있었다.

2006년 어느 날, 운명적으로 한 사람을 만났다. 그분과 만나면서 나는 술을 완전히 끊었다.

그날도 외근을 하면서 업무 차 관할구역의 초등학교 교장실을 방문했다. 교장 선생님과 이런저런 이야기를 하면서 자연스럽게 술 담배 이야기를 나누게 되었다.

"당장 술을 끊고 책을 읽으세요."

술을 많이 마신다는 내 이야기를 듣고 교장 선생님은 진심어린 충고를 해주셨다. 그리고 강남의 어느 리더십 강의에 나를 안내해 주셨다. 열정적인 교수님의 강의에 나는 한 마디로 '뿅' 갔다.

한 번뿐인 인생인데 의미와 가치가 있는 삶을 살아야 하지 않겠느냐는 교수님의 강의 내용에 매료되고 말았기 때문이다.

강의를 듣고 나서 교수님의 지도를 받아 전혀 새로운 삶을 살게 되었다. 그 이후 교장 선생님과 리더십 강의의 교수님은 내 인생의 멘토 역할을 해주고 계신다.

처음 술을 끊고 나서는 금단 현상을 느끼기도 했다. 술친구들로부터 끊임없이 유혹을 받기도 했다.

하지만 나의 결단은 지금도 변함없다. 다행히 알코올 중독에 이르지는 않았지만 술을 끊기란 쉽지 않았다.

가끔 교장 선생님의 말씀처럼 "더 일찍 금주를 했더라면 더욱 의미 있고 가치 있는 삶을 살 수 있었을 텐데" 하고 아쉬운 생각이 들 때가 많다.

아무리 생각해도 단주斷酒를 한 것은 탁월한 선택이었다.

한동안 일상에서 한시도 내 곁을 떠나지 않았던 술은 지금 생각해보면 내 인생의 적敵이었다.

# 단주 목표 세우고 술 끊기 도전

목표를 설정하면 실천하기가 훨씬 쉽다.

목표는 구체적이고 명확할수록 좋다. 몸무게를 줄이는 일도 그렇고, 담배나 술을 끊는 것도 마찬가지다.

"그까짓 술 끊는 데 목표까지 세워가며 할 필요가 있느냐?"

이렇게 반문할지 모르겠다. 정말 잘 모르는 소리다. 한두 잔으로 가볍게 시작한 음주습관이 나중에는 알코올 중독이 되듯이 술 끊기가 얼마나 어렵고 힘든지 모른다.

결코 '그까짓' 일이 아니기 때문에 목표는 꼭 필요하다.

내가 절주 목표를 세우고 실천한 것도 건강에 이상이 있었기 때문은 아니다. 20대 후반 직장생활을 하면서 마시기 시작했던 술은 40대 중반부터는 쉽게 취하고 실수하는 일이 잦았다.

결정적인 계기는 지인의 아들이 술에 취해 쓰러져 있다가 뺑소니 차량에 치어 사망한 현장을 보고 나서였다.

지구대나 파출소 근무를 하면서 술 취한 사람들이 저지르는 행동이나 사건사고를 보고는 더 이상 미룰 수 없다고 결심했다.

술을 끊은 지 8년째, 목표대로 잘 지켜 나가고 있다.

2006년 여름, 술을 끊기로 결심하고 목표를 세웠다. 의지가 확고했지만 슬금슬금 술의 유혹이 밀려 왔다.

알코올 중독자까지는 아니었지만 나 역시 술을 끊기는 쉽지가 않았다. 술을 마시자는 술꾼 친구들의 전화를 물리치기는 더욱 어려웠다.

술을 끊었다고 하면서 자주 만나지 않다 보니 인간관계는 멀어져 갔다. 덕분에 그들의 원망도 많이 들었지만 당연히 술 마실 기회는 줄어들었다. 대신 술을 마시지 않는 모임에 가입하여 열정적으로 활동했다.

지금도 계속하는 독서모임이다. 15명, 남녀 회원이 활동하고 있는데 대부분은 술을 마시지 않는다.

간혹 술 마시는 사람이 있어도 많이 마시지 않는다. 그리고 술을 권하는 일은 절대 없다. 오히려 나의 결연한 금주禁酒 결심을 보고 절주節酒를 했거나 시작한 사람도 있다.

자연스럽게 술 모임이나 술친구들보다는 독서나 자기계발 모임을 찾게 되었다. 스스로 "반드시 술을 끊자!" "술은 꼭 끊고 만다."는 다짐을 수없이 반복했다.

내 책상 앞이나 지갑 속에 있는 버킷리스트 1번은 '절주節酒'였다. 말이 '절주'지 술은 아예 입에 대지 않는 것이다.

지금까지 술을 많이 마시고 실수하지 않는 사람은 별로 본 적이 없다. 주당들도 한두 번 경험했을 테지만 습관이 되면 자칫 생명에 위협을 느끼거나 인생을 망치는 일도 발생한다.

나는 그럴 때마다 '금주禁酒'가 탁월한 선택이라고 생각한다.

지구대와 파출소 근무를 하고 있는 나는 사건사고 현장에 출동하면 사건 관련자들이 술을 마셨는지부터 조사한다.

차량 사고든, 폭력 사건이든, 혼자 술에 취해 쓰러져 있는 곳이든 경찰이 출동하는 현장의 대부분은 술 마신 사람들과 관련이 있다.

술에 취해 사건을 일으킨 가해자야 아무도 원망하지 못하겠지만, 피해자는 그보다 억울한 일이 어디 있겠는가.

나 역시 그런 현장에서는 항상 가슴이 아팠다. 현장 경찰관이라면 누구라도 경험했을 테지만, 술 때문에 억울한 일을 당한 관련자들도 마찬가지였을 것이다.

나는 가끔 술을 많이 마시던 지난날을 생각할 때가 있다. 술로 보낸 시간들에 대해 후회하곤 한다.

술 마시느라고 그 아까운 시간을 허비하고 말았다. 나 자신의 발전이나 자기계발을 위해 노력했더라면 좋았을 텐데, 왜 그랬을까?

술을 좋아하다 보면 취하도록 마실 때가 많다.

어떤 때는 다음날 근무에 지장을 줄만큼 마시기도 한다. 희한하게도 퇴근시간이 가까워지면 술꾼들의 연락이 오곤 했다. 아는 선배나 후배, 동료, 친구 할 것 없이 술 마시자는 약속이 거의 매일 이어졌다.

그나마 40대 후반에 목표를 세우고 실행에 옮긴 이후로 아직까지는 술을 마시지 않는다. 이런 나 자신에게 자부심을 느낀다.

따지고 보면 술은 좋지도 나쁘지도 않은지 모른다. 얼마만큼 잘 다스리느냐에 달렸고, 절제할 수 있다면 마셔도 좋다는 생각도 든다.

그러나 그게 가능할까?

알코올 중독자들도 처음에는 얼마든지 절제할 수 있다고 자신만만해 한다. 그렇지만 누구라도 마시다 보면 자제력을 잃고 만다.

그러다가 한두 번 실수로 이어지고 급기야 나쁜 술버릇으로 이어진다.

술주정은 마침내 알코올 중독자로 된다.

 흔히들 한 번뿐인 인생이라고 말한다. 한 번뿐인 인생인데 술 때문에 실수하여 패가망신하거나 생명을 잃는다면 얼마나 억울한 일인가. 그것도 술 때문에 꿈을 피워보지도 못하고 꽃다운 나이로 인생을 접는다면.
 나는 앞에서 술에 취해 생명을 잃은 지인의 아들을 보고 충격을 받았다고 했다. 굳이 그런 사고가 아니더라도 술 때문에 일어난 충격적인 사건사고를 하도 많이 봐서 몇날 며칠을 이야기해도 모자랄 정도다.
 지금 글을 쓰고 있는 것도 술 때문에 일어난 사건사고에 대한 충격 때문이다. 사람들이 어떻게든 술을 끊든지 술을 자제할 줄 아는 건전한 음주 습관이라도 가졌으면 좋겠다.
 어쨌든 술은 우리 생활에서 빼놓을 수 없는 기호식품의 하나다. 약방에 감초처럼 술 또한 행사 때마다 어김없이 등장한다. 심지어 술 때문에 이승을 떠난 장례식장에서도 술이 나온다.
 술은 우리가 어떻게 다스리느냐에 따라 독이 될 수도 있고 약이 될 수도 있다. 맞는 말이다.
 다만 아무리 좋은 술이라도 많이 마시고 취하면 실수하게 마련이라는 사실을 명심하자.
 오늘부터 절주하기로 마음먹었다면 목표를 세우고 실천하라. 반드시 성취할 수 있다.

# 단주를 위해 인생의 롤 모델이 필요하다

"자신을 완성시켜라. 우리는 완성된 상태로 태어나지 않는다."

17세기 스페인의 작가 발트자르 그리시안의 말이다. 사람은 미완성으로 태어나기 때문에 자신을 완성시켜야 할 운명을 가졌다. 그렇다면 자신의 완성시키기 위한 효율적인 방법은 무엇일까? 바로 롤 모델을 찾는 것이다.

누구에게나 닮고 싶은 스승이나 멘토가 한 사람 이상은 있다. 롤 모델의 철학이나 사상까지도 닮아 가기를 원한다면 더할 나위 없이 좋다. 완전하고 완벽한 사람으로 태어나지 않았기에 더욱 그러하다.

술을 좋아하는 사람에게 단주란 엄청난 고역이다. 특별히 몸이 아픈 것도 아니면서 좋아하는 습관을 끊는 것이기 때문이다. 누구나 오랜 습관에서 벗어나 단번에 끊기란 쉽지 않다.

알코올 중독자들이 단주에 도전하다가 매번 실패하는 이유는 롤 모델이 없기 때문이기도 하다. 따라서 단주하기 위해 롤 모델을 찾는 일도 중요하다. 롤 모델을 찾아 닮아갈 수 있다면 단주도 성공할 수 있다.

시골의사 박경철은 『자기혁명』이라는 책에서 2000년이 시작되면서 술과 담배, 골프를 끊겠다고 약속했다. 너무 많은 시간을 빼앗기기 때문이다. 술과 골프는 당장 실천할 수 있었는데, 담배는 오락가락했다고 고백한다. 중독의 위험성을 짐작할 수 있다.

단 한 번의 실수로 패가망신하거나 생명을 잃는 일은 하지 말아야 한다.

술도 많이 마시고 취하면 누구든 실수를 하게 마련이다. 그 실수가 패가망신이나 생명의 위협으로 이어질 수 있다. 내가 술을 끊어야겠다고 결심했던 것은 단지 친구의 아들 때문만은 아니다. 그 사건이 결정적인 동기가되었고 현장 근무를 하면서 보고 느낀 수많은 사건사고를 통해서 더욱 확신이 들었던 것이다.

사자는 토끼사냥을 할 때도 전력을 다한다. 단주를 결심한 여러분도 마찬가지다. 단주 목표를 세웠다면 단주에 성공한 롤 모델을 정하여 분석하고 실천하며 본받으면 된다.

---

 **롤 모델과 공동묘지**

롤 모델을 따라하느라고 공동묘지까지 간 이야기를 들어본 적이 있는가?

박세리 선수가 US오픈에서 맨발로 호수에 들어가 샷을 날려 위기를 극복하고 결국 우승을 거둔 장면을 기억할 것이다. 그 모습을 보고 골퍼의 꿈을 키운 아이들이 박세리 키즈kids이고 그들은 이미 미LPGA 무대를 장악하고 있다. 그 박세리 키즈의 선두주자가 미 LPGA에서 상금 왕을 차지한 신지애 선수이다. 박세리 선수가 우승 후 언론 인터뷰에서 담력을 키우기 위해 밤에 공동묘지를 찾아가 훈련을 했다는 기사를 보고 신지애 선수는 '바로 이것이다' 하며 쾌재를 불렀다. 긴장된 순간에도 담대하게 경기를 풀어가는 박세리 선수의 비밀을 마침내 입수했기 때문이다. 박세리 선수를 롤 모델로 삼았던 그녀가 묘지를 찾아가 담력 훈련을 펼친 것은 결코 놀랄 만한 일이 아니다.

자신의 우상이자 롤 모델이 거친 과정을 하나도 빠뜨릴 수 없다는 절박감이

---

신지애 선수를 공동묘지까지 찾아가 훈련하도록 만든 것이다. 하지만 놀라운 것은 박세리 선수가 공동묘지까지 찾아가 스윙 연습을 하며 담력을 키웠다는 보도는 나중에 오보로 밝혀졌다는 사실이다. 박세리 선수가 다녔던 골프 연습장 부근에 묘지가 있었다는 얘기가 와전되어 보도된 것이다. 그래서 신지애 선수가 훗날 미 LPGA 무대에서 자신의 롤 모델인 박세리 선수를 만나 그 에피소드를 이야기하자 박세리 선수가 박장대소했다는 후문이다.

(문준호의 『쓰고 상상하고 실행하라』 중에서)

그토록 자신의 롤 모델을 철저하게 연구하고 그의 훈련방식, 심지어 사고방식과 마인드까지도 똑같이 닮고자 노력했기에 신지애 역시 자신의 롤 모델 박세리 선수를 쫓아 세계를 제패하는 일류 선수가 될 수 있었다.

"술 끊는 일을 두고 그렇게까지 할 게 있을까?"

이렇게 생각할 수도 있겠지만, 곰곰이 생각해보면 그렇지 않다. 술이나 담배를 끊겠다고 만만하게 생각하고 시도했다가는 번번이 실패하고 만다. 알코올 중독자들의 증언이 아니더라도 결코 만만한 일이 아니다.

세상에 쉬운 일은 없다. 중독이 되고 나서 단번에 끊기란 더욱 어렵다. 그러나 이런 어려운 일에 성공한 사람들은 대부분 특별한 비법이 있다. 바로 롤 모델을 정해 따라 했던 것이다.

내가 단주에 성공할 수 있었던 것도 앞에서 말한 것처럼 교장 선생님을 롤 모델이자 멘토로 정한 덕분이었다. 술을 끊고 싶다면 먼저 주변에서 단주에 성공한 사람을 찾아야 한다. 그 사람에게 단주에 성공한 비법을 듣고, 그 비법에 따라 실천하면 단주에 성공할 수 있다.

귀에 익은 말이지만 우리는 성공하기 위해 이 땅에 태어났다. 그 성공을 눈앞에 두고 술로 인생을 망쳐서야 되겠는가. 롤 모델을 찾아서 단주를 실천하라. 여러분도 성공할 수 있다.

# 간절하고 절박함을 주위에 알려라

자신의 간절하고 절박한 심정을 가족이나 주위 사람들에게 알리는 것도 술이나 담배를 끊는 방법 중의 하나다.

특히 자녀들과 약속을 하면 선언적 의미와 함께 부모의 신뢰 문제이기도 하여 효과가 있다.

술자리에서 술친구들에게 술을 끊었다고 하면 처음에는 잘 믿지 않으려고 한다. 평소 술을 좋아하는 것을 잘 알기 때문이다.

그렇더라도 "요즘 건강이 안 좋아서 술을 끊었습니다."라든가 "지금 한약을 먹고 있습니다."라는 식의 구실을 붙여 주위에 알려야 한다.

그렇다 해도 오랫동안 술벗의 마음을 구하기는 어렵다.

세상에 쉽게 얻어지는 게 어디 있으랴. 어쨌건 술을 끊었다고 다른 사람들에게 자신 있게 말하는 순간 여러분은 이미 단주에 성공한 사람이다.

평소 술을 좋아하고 잘 마시던 김명수는 단주를 선언하고 술을 입에 대지 않았다.

오랫동안 술을 좋아하던 그가 어느 날 갑자기 술을 끊었다고 선언하자 가족들과 주위 사람들은 믿으려고 하지 않았다.

술친구들 중의 어느 누구도 김명수의 심정을 알지 못했기 때문이다.

그럼에도 김명수는 건강 때문이라고 하면서 절박하게 술을 끊었다는 사실을 알렸다.

차츰 주위에서도 김명수의 마음을 이해하기 시작했다.

"단주斷酒의 성공成功 여부는 얼마만큼 절박하고 간절한 심정으로 실천實踐하느냐에 달려 있겠지요."

김명수의 말에는 자신감이 넘쳐났다.


주말 저녁에 KBS TV에서 방영되는 〈강연 100℃〉라는 프로가 있다. 백승일이라는 한의사가 출연해서 자신의 '다이어트 성공'에 대한 강연을 했다.

몇 달 전까지만 해도 몸무게가 100킬로그램이 넘었다고 한다.

키가 165센티 정도여서 비만이었다.

그러다 보니 각종 심장질환과 고혈압까지 움직이는 종합병동이라는 말을 들었다.

어느 날 한 텔레비전 프로에 나갔는데 방송을 본 사람들이 전화로 걱정을 해주었다고 한다. 졸지에 이혼을 하는 아픔도 겪었다.

그런 그가 다이어트에 성공했다.

100일 만에 20킬로가 넘는 살을 빼고 그토록 원하던 등산을 할 수 있었다는 것이다.

"저는 다이어트에 관해 문의해오는 사람에게 먼저 묻습니다. 정말, 정말 살을 빼려고 하느냐고."

간절하고 절박한 심정이 아니면 다이어트에 성공할 수 없다는 말이다. 다이어트가 이럴진대 술 끊는 일인들 다를 바가 있으랴.

무슨 일이든 간절하고 절박한 상황이라야 이룰 수 있다.

다이어트도 그렇고 단주도 마찬가지다.

"당신은 이제 술을 마시면 죽는다."는 의사의 말 한 마디는 간절하고 절박한 상황이다.

아무리 술을 좋아하는 사람도 의사의 말을 듣고는 단주를 하게 마련이다. 하긴 그런 상황이 오기 전에 스스로 단주를 하는 것이 가장 좋겠지만.

'구슬이 서 말이라도 꿰어야 보배'라는 속담처럼 금주도 실행實行이다. 그렇다. 특별한 비법은 방법론에 있는 것이 아니라 해내는 데 있다.

# 술 생각이 나거든 실수했던 일을 떠올려라

술 좋아하는 사람치고 실수 한 번 하지 않았다고 하면 거짓말이다.

술에 취해 말을 잘못해서 패가망신을 하거나 생명의 위협을 받는 일은 아니더라도 술 마시고 한두 번쯤 실수를 하지 않은 사람은 드물다.

중요한 약속을 까먹거나 소지품을 잃어버리는 일도 비일비재하다. 휴대전화를 잃어버렸다고 신고하는 사람은 수도 없이 많다.

지갑은 물론 안경, 노트북, 가방, 코트 등 몸에 부착되어 있지 않으면 뭐든지 쉽게 잃어버릴 수 있다.

술 마시고 쉽게 필름이 끊기면 잊어버리고 잃어버리는 일도 비례하여 자주 발생한다. 이럴 때는 술을 끊거나 줄이는 문제를 심각하게 각오해야 한다. 금주나 절주를 하지 않고 계속 술을 마셨다가는 필경 낭패를 당할 수 있기 때문이다.

음주 운전으로 단속된 운전자를 보면 소름이 끼친다. 제 몸도 제대로 가누지 못하면서 운전대를 잡고 있었다고 생각해보라.

내가 아무리 운전을 잘해도 음주를 하고 운전하는 사람의 차에 사고가 난다면 어떻게 될까? 등골이 오싹하지 않은가.

몇 년 전까지만 해도 불시에 음주 단속을 하곤 했다. 밤늦게까지 술을 마시고 아침에 출근하다 단속되는 사람도 종종 적발되었다.

음주 운전 단속을 하지 않아도 사고가 발생하면 신고가 되곤 한다.

며칠 전에는 30대 초반의 회사원이 술을 마신 다음 혼자 운전을 하고 가다 사고가 났다. 운전 부주의로 가드레일을 들이받고 차량이 전복되었다는 신고였다. 현장으로 달려가 보니 그는 의식도 없고 술 냄새가 진동을 했다.

술을 마시고 운전하다 신호대기 시간에 잠을 자는 운전자도 많다. 이럴 때는 다른 운전자들이 신고를 해준다. 요즘은 음주 운전 단속을 자주하지 않지만 음주 운전 행위가 근절되었다고 확신할 수는 없다.

술을 끊는 방법 중의 하나는 술을 마시고 실수했던 일을 떠올리는 것이다. 술을 많이 마시고 실수한 행위를 범죄로 의식한다면 술을 덜 마시거나 단주하고 싶은 생각도 들 수 있다.

술을 좋아하는 사람이라도 실수했던 일을 떠올리면 "술을 끊어야지." 또는 "술 좀 적게 마셔야지." 하는 생각이 들기 때문이다.

술을 끊은 사람들의 성공담을 들어보면 많은 경우 지난 실수를 떠올리며 술을 끊었다고 털어놓는다.

언제부터인가 우리나라는 술 권하는 사회가 됐다. 또한 술을 잘 마셔야 성공한 사람이라고 말하기도 했다. 몇 년 전까지만 해도 중요 인사 프로필에 자랑스럽게 거론하는 말이 '두주불사斗酒不辭'였다.

말하자면 말술도 사양하지 않는다는 뜻인데, 말술을 마시는 것도 대단한 능력이라는 말이나 다름없다. 술을 잘 마셔야 장관도 되고 국회의원도 된다는 식으로, 중요 인사의 자격요건처럼 주량酒量을 거론했던 것이다. 그러다 보니 술을 잘 못 마시는 사람은 술을 물마시듯이 마시는 이들로부터 왕따를 당하는 분위기마저 있었다.

어떤 술이든 가리지 않고 많이 마시거나 잘 마시는 것을 마치 자랑하듯 말하는 사람이 있다.

그러나 이것은 자랑이 아니라 창피스러움이다. 특히 현장 경찰관들이 느끼는 감정은 한결같다. 술로 인한 폐해는 심각하고 막대하여 건전한 음주문화가 시급히 정착되어야 한다는 것을 경험하기 때문이다.

필자가 아는 사람 중에 개인 사업을 하는 고진태 씨가 있다. 그는 지난해 12월 모친을 여의었다. 고진태 씨가 모친을 잃은 슬픔과 그동안 자신이 살아온 처지를 한탄하면서 동생들과 함께 술을 마셨다. 평소 소주 서너 병은 쉽게 마시는 술꾼이었다.

그날도 소주 서너 병을 동생들과 같이 마셨다. 마지막으로 폭탄주를 섞어 마신 것이 화근이었다. 고진태 씨가 그만 정신을 잃고 말았다. 동생들이 그를 부축하려고 했지만 도저히 옮길 수 없어 119에다 신고를 했다.

마침 119 구급요원들이 출동하여 그를 안전하게 옮길 수 있었다. 고진태 씨는 다음 날 정신을 차리고 필름이 끊긴 상태로 일어난 자신의 상태를 아내로부터 전해 듣게 되었다. 평소에도 술을 끊어야겠다고 생각하던 터라 고진태 씨는 당장 술을 끊었다.

그리고 동생들과 가족들 앞에서 "다시는 술을 마시지 않겠다."고 선언했다. 거짓말처럼 몇 달이 지난 지금까지도 술은 입에 대지 않는다.

고진태 씨는 가끔 술 생각이 난다고 한다. 그럴 때마다 실수한 일을 떠올린다고 한다. 그러면 술 마시고 싶은 생각이 저절로 사라진다는 고백이다.

# 술 좋아하는 모임과 술친구들은 가급적 피하라

술을 끊자면 장애물이 너무 많다. 하나씩 정리를 해야 한다.

술을 끊는 데 방해가 되는 것은 무엇일까?

곰곰이 생각해보면서 맺고 끊는 것을 분명히 해야 '단주斷酒'라는 목표를 달성할 수 있다.

그런 점에서 당사자의 의지가 핵심 고리인 셈이다.

필자의 경험을 서술해보면 다음과 같다.

하나, 술을 좋아하는 사람과의 만남을 줄여야 한다. 술친구를 줄이는 것은 단주의 첫걸음이다. 술 좋아하는 사람을 자주 만나면 술을 자주 마실 수밖에 없기 때문이다.

술 마시는 모임 대신 독서모임이나 종교모임, 건전한 취미생활 동아리 같은 술 마시지 않는 모임에 눈을 돌리기 시작했다.

먼저 구청에서 운영하는 독서토론회에 가입했다.

술 마시는 사람이 별로 없는 모임이었다. 설령 있다 해도 술을 집요하게 강권하는 술친구들과 달랐다.

단주를 하고부터 건강이 훨씬 좋아졌다. 술을 많이 마시고 피곤해하며 빌빌대던 것과는 딴판이다.

의학기술 발달과 생활습관의 개선으로 건강수명이 늘어나고 있다. 앞으로도 건강수명은 계속 늘어날 전망이다. 아무튼 건강관리는 필수다. 건강을 잃으면 다 잃기 때문이다.

금주를 위해서라면 만나는 사람도 가려서 만날 필요가 있다. 금주를 하는 데 힘이 되어주지 못하는 사람, 음해나 중상모략을 일삼는 사람, 나의 작은 실수에도 사사건건 태클을 거는 사람은 자주 만나지 않는 게 좋다.

대신 윈-윈win-win할 수 있는 사람, 뜻을 같이 하는 사람, 힘이 되어주고 도움이 되는 사람을 만나는 게 좋다.

술을 마시지 않아도 훌륭하게 살아가는 사람은 의외로 많다.

해야 할 일이 얼마나 많은가? '유유상종類類相從'이라는 말도 있듯이 뜻이 맞는 사람들끼리 만나서 얼마든지 하고 싶은 일을 할 수 있는 것이다.

그런데도 부정적인 생각에 파묻혀 살고 있는 사람들과의 만남은 도움이 되지 않았다.

술 좋아하는 사람은 술 좋아하는 사람들과 만나게 마련이다. 단주를 위한 금기사항인 셈이다.

대신 술을 좋아하지는 않더라도 열심히 살아가는 사람을 만나 새로운 경험의 영역을 개척할 수 있다.

SNS가 활발한 스마트 시대에는 그런 사람을 얼마든지 만날 수 있다. 다만 자신이 그런 사람을 찾지 않기 때문에 모르고 살아갈 뿐이다.

둘째, 술을 좋아하는 사람을 만나면 "이제 술 끊었다."는 사실을 주위에 적극적으로 알려야 한다.

정말 단주는 억센 의지력과 주변의 도움 없이는 성공하기 어렵다.

가끔 모임에서 술을 끊었다고 말했다가 집중공격을 받을지도 모른다. 평소의 술친구들은 "왜 술을 끊었는지?" 궁금해 하며 시험하려고 들지도 모른다. 몸에 이상이 있는지 물으며 "오늘만 마셔라!"고 술잔을 건넬지도 모른다.

술로 만난 친구들은 술을 끊게 된 심정적 변화에 대해, 또 종교적인 이유나 취미생활의 변화에 대해, 건강을 앞세우는 태도에 대해 어쩌면 '배신背信'이란 말까지 써가며 비난하려고 할지도 모른다.

지금까지 여러분이 너무나 호기롭게 술을 잘 마셔왔기 때문에 어느 날 단주를 했다고 선언해도 잘 믿지 않을 테니까 말이다.

필자는 두 달에 한 번씩 만나는 중학교 동창 모임에서 단주를 인정받기까지 2년이 걸렸다. 동창 모임인데 매번 불참할 수도 없고, 나가기만 하면 술 끊었다는 나의 고백을 믿지 않아 힘들었다.

나는 그때마다 굽히지 않고 단주 사실을 알렸다.

평소에 내가 술을 잘 마셨기에 거짓말하지 말라며 믿지 않으려고 했던 건 물론이다.

그럴 때마다 술을 채운 술잔은 받아 놓고도 끝까지 마시지 않았다. 매번 쉽지 않았지만 단주 의지를 보일수록 자존감이나 자부심은 올라갔다. 그래서 지킬 수 있었다.

술을 마시지 않는다고 모임에 나가지 않거나 그렇다고 오기로 마실 필요는 없다. 오히려 자신의 단주 의지를 보여주는 게 중요하다.

이제는 모두들 내가 술을 마시지 않는다는 것을 알고 있다.

무려 2년이란 세월이 흐른 다음에야 인정받은 셈이었다.

요즘은 모임에 참석하면 나는 당연히 술을 마시지 않는 사람으로 인정하고 술 대신 음료수를 잔에 따라주며 챙긴다.

셋째, 단주를 하려면 적극적인 종교 활동도 도움이 된다. 술을 많이 마시라고 권장하는 종교는 없다.

불교에서는 술을 많이 마시면 지혜의 씨앗이 끊어지기 때문에 술을 마시지 말라고 한다.

기독교도 술에 취하지 말라고 경계하는 것은 마찬가지다.

그런데 같은 종교를 가진 사람들과의 만남에도 술이 따랐다. 언젠가 불교 성지순례를 다녀오면서 술 마시는 걸 봤는데, 술이라 부르지 않고 '곡차'라고 하며 술을 마셨다.

그러다 보니 취하여 실수하는 사람도 생겼다. 신성한 성지를 순례하고 돌아오면서 실수하는 일은 창피하고 자격이 없는 일이 아닐까.

어쨌건 종교의 가르침에 충실한 모임이라면 술에 취해 실수를 저지를 일은 없을 테니, 단주를 위해서는 적극적인 종교 활동은 도움이 될 것이다.

# 단주 일기로 술의 유혹을 극복하다

단주를 결심하고부터 아침에 일기를 써오고 있다.

돌이켜보면 일기는 성찰의 시간을 갖는 데 많은 도움을 주었다. 일기를 써오고부터 숱한 술의 유혹을 극복할 수 있었다.

일기는 자부심을 느끼게도 하지만 자신을 다그치면서 목표를 달성할 수 있는 추동력이 되기도 했다.

그러한 일기 쓰기 덕분에 생각보다 훨씬 쉽게 단주를 할 수 있었다.

일기 쓰기는 누구보다도 술을 좋아했던 내가 단주를 할 수 있었던 방법 중의 하나였다고 단언한다.

생각해보면 일기 쓰기는 음주로 인한 나태한 습관과는 정반대로 좋은 습관 중 하나였다.

음주飮酒 일기, 아니 단주斷酒 일기를 쓰면서 매일 자신의 생활을 돌아보며 성찰과 반성을 한다. 그리고 근무하면서 맞닥뜨리는 사건사고를 반면교사나 타산지석으로 삼는다.

일기는 자기계발에도 많은 도움이 되었다.

신문기자처럼 관찰하면서 일기를 쓰곤 했더니 누구보다 치밀하게 관찰하는 글쓰기를 할 수 있었다. 일기를 써오지 않았다면 글쓰기에 대한 재미도 붙이지 못했을 것이다.

그리고 『굿바이 술』 같은 단주에 대한 책을 쓰는 일은 꿈도 꾸지 못했을 것이다.

스스로 재미를 들이려고 노력한 덕분에 10년 가까이 단주는 물론이고 일기도 계속 써오고 있다.

처음 일기를 쓰면서, 어떤 날은 달랑 서너 줄 쓴 날도 있다. 어쨌든 하루라도 그냥 넘어가는 날은 없었다.

화가 나는 일이 있어 일기장에 실컷 욕을 퍼붓기도 했다. 대판 싸움을 하고도 남을 일이지만 일기장에 썼기 때문에 시비할 일은 없었다.

일기는 육필肉筆로 썼다. 매일매일 볼펜에서 느껴지는 촉감과, 해냈다는 성취감은 내 자신을 행복하게 했다.


"3년간 일기를 쓴 사람은 장래에 무슨 일이든 이룰 사람이며, 10년간 일기를 계속 쓴 사람은 이미 무언가를 이룬 사람이다."

소설 『빙점氷點』을 쓴 미우라 아야코[三浦綾子]는 이렇게 말했다.

일기를 써서 성공한 사람은 많다. 미국 LPGA투어에서 72승을 올린 애니카 소렌스탐은 '기록의 여인'으로 불린다.

그녀는 컴퓨터 회사에 근무했던 아버지의 영향으로 1987년부터 자신의 골프 관련 기록은 물론 실수 상황까지 노트북에 기록했다. 바로 그녀의 '보물 1호'다.

마라톤 영웅 황영조는 고등학교 1학년 때부터 1996년 은퇴할 때까지 하루도 거르지 않고 훈련 일기를 썼다.

어떤 날씨에 어떤 길을 달렸고 어떤 음식을 먹었는지, 기록은 어땠는지 그림까지 곁들여 적었다.

국가대표팀을 이끌고 있는 그는 지금도 선수 시절의 기록을 참고자료로 활용한다고 한다.

일기를 써오면서 나는 메모하는 게 습관이 되었다. 예전에는 그렇게 하지 않았지만 일기를 쓰기 시작하면서 메모가 습관이 된 것이다.

그래서 무슨 일이든 적어두는 것을 좋아한다. 메모하면서 기억력까지 좋아지는 것을 느낄 수 있었다.

일기 쓰기는 기억력뿐만 아니라 '저널 치료' 효과에도 도움을 준다.

스트레스 없이 살아가는 사람이 있을까?

누구나 스트레스를 받으며 살아가는 게 현실이다. 글쓰기와 일기를 써오면서 치유 효과를 느끼게 된다.

단주를 하면서 시작된 일기 쓰기와 책 읽기는 나를 글쓰기 좋아하는 사람으로 만들어 주었다.

아무래도 좋다. 일기 쓰기가 단주의 방법 중 하나라는 데 밑줄을 긋는다.

술을 끊고 싶다면 꼭 일기를 쓰라고 권하고 싶다. 일상의 많은 일들에 몰입하여 정성껏 쓰라고 말하고 싶다.

글 쓰는 일이 취미가 되면서 단주 의지는 물론이고 무슨 일이든 자신감을 가지게 되는 것을 실감할 것이다.

# 성공하려면 혼자가 아니라 함께 시도하라

애주가가 혼자 힘으로 술을 끊기란 여간 어려운 일이 아니다. 특히 알코올 중독자라면 거의 다 실패하고 만다. 알코올 전문병원에 가서 치료를 받아도 될까 말까 한 일이다. 술을 끊겠다고 결심하고 매번 실패하는 까닭은 혼자서 실행하려고 하기 때문이다.

그런데 방법이 없는 것은 아니다. 혼자가 아니라 함께라면 성공을 거두기 쉽다. "빨리 가려면 혼자 가고 멀리 가려면 함께 가라."는 인디언 속담처럼 말이다.

애주가였던 필자가 술을 끊는 데 성공한 것도 혼자가 아니었기 때문이다. 전직 교장 선생님으로 항상 지켜주고 인정해주셨던 멘토가 계셨고, 나의 가족들이 곁을 지켜주었기 때문이다.

나의 멘토인 교장 선생님은 내가 평소 술을 즐겨 마신다는 것을 알고 줄기차게 술을 끊으라고 권유해주신 분이다.

듣기 좋은 꽃노래도 한두 번이라고 하지 않던가?

만날 때마다 술을 끊으라고 하시는 교장 선생님의 말씀이 잔소리처럼 들려서 싫었던 적도 있었다. 그렇지만 한 마디 한 마디가 옳은 말씀인 데다 이미 술을 끊기로 작심한 터라 포기하지 않을 수 있었다.

단주를 실천하는 동안 가끔 모임이나 회식에 참석한 적이 있다. 술자리에서는 항상 누군가가 건배를 제의하는 게 우리의 술 문화다.

그때 "한 잔쯤이야?" 하는 생각으로 술을 마신 적도 있었다.

그렇게 마음이 흔들릴 때마다 멘토인 교장 선생님은 질릴 만큼 혹독하게 지적을 해주셨다. 술 끊겠다고 선언했으면 실천해야 할 텐데 따라주는 술을 마셨기 때문이다.

한편으로 단주 후 건전한 취미활동을 통해 성장해가는 내 모습을 보고 칭찬도 아끼지 않으셨다.

멘토가 인정해주고 있다는 생각에 나 스스로도 자부심과 자긍심을 갖게 되었다. 나를 알아주고 인정해 주는 단 한 사람, 멘토의 역할은 이것으로도 충분했다.

세상이 팍팍하고 살아가기가 힘들다고 느낄 때 나를 알아주고 인정해주는 지기知己의 존재는 힘이 되고도 남는다. 멘토는 단주의 이정표가 되어주었을 뿐 아니라 마음 편하게 세상 살아갈 수 있게 해주는 등불이었다.


단주에 성공하려면 가족에게도 도움을 청해야 한다. 가족만큼 강력하고 우호적인 응원군도 없기 때문이다.

내가 단주를 선언하자 가장 좋아하는 사람은 아내였다. 지긋지긋하게 술을 마셔댔으니 아내가 좋아하는 것은 당연한 일이었다.

선천적으로 술을 싫어했던 아내는 내가 단주를 선언해도 처음에는 좋아하면서도 믿지 않았다.

술 마신 다음 날이면 단주 선언을 밥 먹듯이 해왔기 때문이다.

아내가 믿지 않는 것은 마치 수주 변영로의 『명정 40년』에서 저자가 단주를 선언하자 주위 사람들이 "개가 똥을 끊지, 그 자가 술을 끊다니 거짓말이다."라고 했다는 이야기와 비슷한 경우일 성싶다.

나도 아내에게만 단주 약속을 해서는 지켜지지 않을 수도 있겠다는 생각이 들었다. 이참에 아이들 앞에서 단주를 선언했다.

아이들 앞에서 약속을 한다면 아버지의 자존심과 신뢰가 걸린 문제이기 때문에 지킬 수 있을 것 같았다. 아이들이 단주를 선언한 이후의 내 행동을 유심히 지켜볼 테니 조심할 것은 당연했다.

미국의 자동차 왕 헨리 포드가 성공할 수 있었던 것은 발명왕 에디슨과 고무타이어를 제작한 개척자 파이어스톤이 있었기 때문이라고 한다.

마찬가지로 에디슨이 성공할 수 있었던 것도 포드와 파이어스톤의 존재가 큰 힘이 되었다고 한다.

결국 이들 세 사람은 긴밀한 관계를 유지하며 서로 도움을 주었기 때문에 함께 성공할 수 있었다고 해도 지나친 말이 아니다.

누군가가 목표를 세우고 일을 시작할 때 옆에 있는 사람의 도움이 가장 큰 힘이 될 것은 당연하다.

단주斷酒와 같이 고통이 뒤따르는 일일수록 도우미의 역할이 커진다. 혼자가 아니라 함께 실천할 때 목표에 더 빨리 다다를 수 있고, 그 성공이 오래 지속될 수 있다.

# 술 끊으려면 전문가의 말에 귀 기울이자

해가 바뀌면 대부분의 사람들은 하나쯤 새해 계획을 세운다.

그 중에서도 건강과 직결되는 술 담배 끊기와 살빼기는 빠지지 않는다.

마음먹기에 따라 다르겠지만 담배와 살빼기는 그래도 쉽게 성공한다. 그런데 술 끊기는 매번 실패하고 만다. 그 이유는 뭘까?

대부분의 사람들이 새해 계획을 세우고도 지키지 못하는 것은 무서운 습관의 벽 때문이다. 솔직히 계획을 세우고도 지키지 않는 것은 안 지켜도 별 문제가 발생하지 않기 때문이다. 특히 자기 성찰을 통한 절박함이나 처절함 없이는 습관을 바꾸기 어렵다.

우리 사회에서 행사든 모임이든 회식이든 빠지지 않는 게 술이다. 특히 한국인의 회식문화는 대부분 끝장을 보자는 식이다.

어느 드라마에서 한 여성은 "회식은 불필요한 친목과 음주로 몸 버리고, 간 버리고, 시간 버리는 자살 테러"라고 돌직구를 날리기도 했다.

지난 해 취업포털 커리어가 직장인 825명을 대상으로 회식 메뉴를 조사해본 결과 직장인들 90% 이상이 회식 자리에서 음주가 빠지지 않는다고 답했다. 보통 3차로 노래방까지 가야 공식적으로 종료되는 한국인의 회식문화는 체력을 소진시킨다. 이러니 금주를 하기란 쉽지 않다. 회식을 통해 끈끈한 관계를 이어가는 것이 한국인의 직장이나 사회생활 인간관계라고 생각하기 때문이다.

(『트렌드코리아2014』 P136 참조)

금주禁酒나 절주節酒가 정말 어려울까?

전문가들에게 물어보면 이렇게 대답한다.

"술 마실 때의 생활이 마시지 않을 때보다 훨씬 낫다고 생각하면서 온갖 핑계를 동원하여 술을 마셔야 하는 자신의 정당성을 합리화시키기 때문이다."

알코올 전문병원인 다사랑 중앙병원 김석산 원장의 말을 들어보자.

"알코올 의존자들은 술 문제가 심해질수록 자신이 술 마시는 이유를 주위 사람과 환경의 탓으로 돌린다."며 "사회생활을 하기 위해, 스트레스를 풀기 위해 등으로 이유를 달고 있지만 이는 자신의 음주 행태를 합리화시키기 위한 핑계"라고 설명했다. 그는 "술 없이도 충분히 즐거울 수 있다는 것을 스스로 깨달아야만 금주에 성공할 수 있다."고 설명했다.

김 원장은 술 끊는 방법으로 다음과 같은 7계명을 제안했다.

첫째, 자만심을 버려라.

언제든 술을 끊을 수 있다는 생각보다는 자신의 술 문제를 인정하라는 의미다.

둘째, 금주를 가장 우선순위에 두라.

술 문제가 있는 사람들은 어떻게 해서든 술 마실 기회를 만들기 때문에 금주를 최우선으로 정하는 것이 필요하다.

셋째, 거짓말을 하지 마라.

술을 마시고 싶은 상태나 본인의 경험을 솔직히 이야기하고 이겨낼 수 있는 방법을 찾는 것이 중요하다.

넷째, 나를 꾸준히 응원해줄 사람을 찾아라.

관심과 응원은 금주, 절주에 큰 힘이 된다.

다섯째, 오늘 하루만 마시지 말자.

오늘 하루만 술을 끊겠다고 생각하라. 그 하루들이 모이면 일주일이 되고 한 달이 되고 1년이 된다.

여섯째, 술 마시고 싶을 때는 1시간만 참자.

술에 대한 욕망은 비교적 짧게 지속된다. 1시간만 참아보면 술을 갈망하는 느낌은 어느 정도 잊을 수 있다.

일곱째, 배고픔, 분노, 외로움, 피로 등 4가지를 피하라.

배고플 때를 대비해 간식을 준비하고, 명상이나 잠언을 통해 평온을 찾아라.

이와 같이 절주는 술 마시지 않아도 생활할 수 있다는 자신감이 필요하다. 술 마시는 일은 사회생활을 하는 데 꼭 필요하다고 생각할수록 절주는 어렵다. 술 마시는 이유를 주위 사람이나 환경 탓으로 돌리기보다는 술 없이도 충분히 즐길 수 있다는 깨달음이 있을 때 금주에 성공할 수 있다.

(문화일보 이용권 기자, 2014년 1월 7일자 기사 참조)

제8장
# 술 시간 대신 여유 시간으로 인생 즐기기

## 술병 대신 건전한 취미생활

단주를 결심했다면 술병을 멀리 치우는 일부터 시작하라.

그리고 술병 대신 건전한 취미활동을 만드는 일에 착수하라.

냉장고에 술병을 넣어두면 당장 눈에 보이지는 않더라도 술병을 멀리 치우는 것과는 거리가 멀다.

아예 집안에서 술병이 눈에 띄지 않도록 해야 한다.

아울러 건전한 취미활동을 하면 술을 끊기가 훨씬 쉽다. 술 대신 취미생활이 필요한 것이다.

마음 맞는 사람들과 함께 독서, 등산, 운동, 사진 등 자신에게 맞는 취미활동을 할 수 있다면 술을 마시지 않더라도 충만한 시간을 보낼 수 있다.

외로움을 느끼기 때문에 술을 마신다고 하는 사람도 있다.

자신의 삶이 만족스럽지 못할 경우 보통 주위 환경을 탓하거나 팔자라고 하면서 자책을 하기도 한다.

자꾸만 자학하거나 자책하다 보면 우울증에 걸리기 쉽고 술을 마시고 싶은 욕구가 생기게 된다.

단주를 할 때 가슴이 두근거리거나 숨이 가쁘면 반드시 병원을 찾아 검사를 받아야 한다.

사십대 후반까지 담배를 즐겨 피우고 술을 즐겨 마시던 지인 중 한 사람은 갑자기 가슴에 통증을 느끼고 병원을 찾았는데, 너무 늦어서 불귀의 객이 되고 말았다.

자신의 건강을 너무 믿었던 게 불찰이었다.

내 몸은 내가 의사라는 말도 있지만, 지나친 자신감으로 병원을 기피하는 어리석음이 불행을 초래할 수 있다.

보통 10년 이상 과음을 일삼고, 술로 인해 직장과 사회에서 문제를 일으키고, 술을 줄이거나 끊을 경우 금단증상이 나타난다면 알코올 의존증이라고 볼 수 있다.

술을 멀리했을 때 나타나는 손 떨림, 불면, 긴장감, 건망증, 불안장애, 식은땀은 알코올 의존증의 전조 증상이다.

전문가들은 1주일에 3~4회 이상 술자리를 갖고 한 자리에서 소주 4잔 이상을 마시며 음주 후 필름이 끊기는 블랙아웃 현상이 빈번하게 나타나면 전문의와 상담해야 한다고 강조한다.

술을 즐겨 마시던 사람이 갑자기 단주를 실행하기란 어렵고도 힘 드는 일이다. 그래서 본인이 단주를 했다고 해도 술친구들은 깜짝 놀라며 믿지 않으려고 한다.

오해를 받을 수도 있다, 얼마나 오래 가는지 시험을 하는 사람이 꼭 나타나기 때문이다.

술좌석에서 술을 따라주며 권하기도 하고 단주를 실천하고 있는지 시험하기도 한다.

그럴수록 단주에 대한 확신을 갖고 단호하게 의사를 밝히는 것이 중요하다. 술 마시는 대신 건전한 취미활동을 하고 있다는 것을 보여주면 어느 정도 오해를 피할 수도 있다.

나는 단주를 선언하고 나서 등산과 책 읽는 일에 몰입했다.

등산은 평소 자주 했던 터라 어렵지 않았지만 독서는 쉽지 않았다. 그래서 이왕 시작할 바에야 제대로 하자고 마음먹었다.

처음부터 강동구청에서 운영하는 독서토론회에 가입하여 적극적으로 활동했다. 매월 한 권씩 책을 읽고 독서토론을 하는 것으로 시작된 독서토론회 활동은 어느새 매일 한 권 이상 책을 읽는 독서광으로 만들어주었다.

처음 습관을 들이기가 힘들어서 그렇지 습관이 되면 실천하기가 쉽다.

사람이 습관을 만들고, 나중에는 습관이 사람을 만든다고 하지 않았던가. 책 읽기가 습관이 되고부터 나는 거의 매일 일어나자마자 일기를 쓰고 책을 읽는다.

10년 가까이 실천해온 독서토론회가 나에게 준 선물이다.

독서는 신상기록부에 적는 취미가 실제 생활 속의 취미가 되었다.

이런 습관과 태도를 바탕으로 술을 끊었다는 사실을 술친구들에게 선언하고 실천했더니 훨씬 쉬웠다.

단주 선언 10년이 가까워지고 있지만 지금도 금주와 책읽기는 계속하고 있다. 그것은 내 인생의 탁월한 선택이었다.

# 종교에 의지하는 것도 좋은 방법이다

"……남편이요? 결론부터 말하면 10월 퇴원 이후 아직 술 입에 안 대고 있답니다. 이혼 접수까지 했었고 따로 살 집도 보러 다녔었고 정말 모질게 대하고 욕도 하고 헤어질 결심 100프로 갖고 있었어요. 이혼이란 정말 쉽지 않았어요. 이혼이 해결책이냐는 생각 많은 분들이 하시겠지만 제 사정 아시는 분들은 아시겠지만 암 걸린 몸으로 항암 후 술 떡 된 남편 건사에, 사춘기 애들 건사하는 살림에 정말 매일매일 눈물로 사는 날 많았었지요.

남편으로 아이 아빠로 나름 최선을 다하지는 않아도 술 빼고는 별로 큰 흠을 잡지는 못한 사람이고 불쌍한 사람이라고 생각되어서 정말 이혼까지는 안 하려했지만. 제 병보다는 애들 상처가 너무 커서 죽고 싶다, 집에 오기 싫다는 말로 하루하루 힘들게 했죠.

그래서 애들과 제가 살아야겠기에 또 내가 죽고 나면 남편이 애들과는 격리되어야겠기에 이혼 결심을 하게 된 거죠. 우리나라 이혼 참 둘 서로 합의가 안되면 아예 할 수도 없고 애가 있으면 더 힘들더군요. 이혼 접수 한 번, 아이가 있어서 자녀양육 교육 때 한 번, 최종 이혼 판결 때 한 번 세 번을 둘이서 참석해야하는 것도 힘들었어요. 암튼 이혼은 무산되고……너무도 무섭고 단호하게 남편을 대했고 그 사람은 매일 빌며 용서를 빌었고 전 퇴원 후 집 나가라고 계속 압박을 했죠..그러던 중 그 사람은 교회 문을 두드렸고 하나님께 기대어 매일 기도와 회개로 지냈죠..

그리고 직업학교도 다니며 하루하루 바쁘게 지내던 중 일거리가 생겨서 요새는 그 일에 매달려 열심히 하고 있어요. 조그만 사업체라 저도 같이 도와주고 있고 애들도 안정권에 어느 정도 들어서 집안은 사춘기 애들과 제가 다투는 것 빼면 일에만 몰두되는 하루하루고 또 신앙생활에 기대는 하루하루를 보냅니다.

많이 용서를 빌고 회개하는 모습에 제 맘도 누그러졌고 요새같이 생활하는 모습 보면 제가 재발해도 아파서 죽어도 편히 가겠다는 생각도 해봅니다. 일 시작한 후 전 회복이 덜 됐지만 제가 할 수 있는 최선의 방법으로 남편 도와주고 있어요.”

윗글은 다음 포털사이트 한 카페에서 필명 ‘왕눈이’라는 여성이 쓴 글이다. 왕눈이 씨 본인은 암에 걸려 있고, 남편은 거의 매일 술에 절어 살았던 알코올 중독자였다.

그녀가 알코올 중독자 가족으로 살아가는 일이 얼마나 힘이 드는지, 얼마나 고통스런 날들인지 쓴 글을 읽으면서 눈시울이 뜨거워졌다.

우리나라에는 3백 60만여 명의 알코올 중독자들이 매일 고통 속에서 살아가고 있다. 가족들은 훨씬 더 힘든 고통 속에서 살아가고 있다. 알코올 중독자 가족으로 살아가기란 죽기만큼이나 힘들다.

그나마 다행스러운 일은 그녀의 남편이 신앙을 갖고 알코올 중독에서 조금씩 깨어나고 있다는 것이다.

알코올 중독자의 치유는 본인의 의지가 무엇보다 중요하다.

본인의 의지만 확고하다면 반드시 단주에 성공하여 중독의 굴레에서 벗어날 수 있다.

자신이 알코올 중독을 이겨내고 말겠다는 의지가 있고 가족의 관심과 사랑이 보태진다면 결국은 알코올 중독에서 헤어날 수 있다.

필명 왕눈이는 남편이 알코올 중독에 걸려 거의 매일 술로 시간을 보내다 어느 날부터 종교에 귀의하여 단주한 지 6개월째 접어들었다는 고백을 하고 있다.

종교에 귀의하여 술을 끊는 데 성공한 사람이 많다.

나 역시도 단주 후 마음이 흔들릴 때면 종교시설을 찾거나 종교 모임에 나가서 흔들리는 마음을 다스렸다.

인간은 신이 아니기 때문에 많은 유혹에 흔들릴 수밖에 없다. 아무쪼록 단주라는 목표를 세웠다면 종교에 귀의해서라도 성공해야 한다.

교회든 성당이든 절이든 어디든 좋다. 내 마음이 흔들리지 않는 종교시설로 나가라. 그리고 기도하라.

## 배우고 때때로 익히는 즐거움

"독서가 리더십 수준을 결정한다. 독서는 (리더의) 책임이다."

시진핑 중국국가 주석의 말이다. 그는 중앙당교 교장 시절(2007~2012년) 교육받는 당 핵심간부들에게 꼭 이 말을 했다고 한다. 2012년 5월 한 강연에서는 다음과 같이 강조했다.

"변화가 빠른 현대의 리더십은 시대를 호흡하는 공부, 즉 독서와 불가분의 관계다. 리더십과 업무처리 수준은 독서에 의해 결정된다. 독서는 리더나 간부에게 생활生活이고 책임責任이며 정신精神이다."

중국의 장기 세계경영 전략과 안정적 리더십은 독서에서 나온다는 것이다. 이처럼 중국의 리더들에게 독서는 선택이 아니고 필수다.

중국의 모택동은 사망하기 전까지 용재수필을 읽고 있었다는 말은 전설이 되었다. 그는 독서를 많이 한 사람으로 알려지고 있다. 그가 젊은 시절 이런 말을 남겼다.

"학문이 있으면 산 위에 서 있는 것처럼 멀리 많은 것을 볼 수 있다. 학문이 없으면 어두운 도랑을 걷는 것처럼 더듬어낼 수도 없으며 사람을 몹시 고생스럽게 할 것이다."

세종대왕은 '백독백습'으로 유명하다.

책 한 권을 백 번 읽고 백 번을 썼다.

술 대신 책을 들면 어떨까?

책을 많이 읽자면 술을 삼가야 한다. 책을 통해 술을 끊을 수도 있겠지만 책을 읽기 위해 좋아하는 술을 단숨에 끊기란 쉽지 않다.

술을 좋아하는 사람들이 막상 단주를 시작해보지만 대부분 실패하고 만다. 서가에 꽂혀 있는 자기계발서 어디에도 술 담배를 꾸준히 즐기라고 강조하는 책은 없다.

그러면서도 "~해라!", "~하지 마라!"는 말은 수없이 듣고 또 들었다. 집에서 부모님으로부터, 학교에서 선생님으로부터, 직장에서 상사로부터 들었던 말만 해도 머리가 터질 지경이다.

술을 많이 마시면 몸에 나쁘다는 것은 다 안다. 몰라서 끊지 못하는 게 아니다. 세상살이가 힘들고 팍팍해서 솔직히 술을 마시지 않으면 살 수 없어 마신다고 하는 말이 맞을지 모른다.

직장인도, 경영자도, 자영업자도 모두 스트레스 때문이라고 말한다.

냉정하게 생각해보면 맞는 말일 수도 있다. 하지만 아무리 어렵고 힘들더라도 인생은 결코 짧지만은 않다. 어쩌면 인생은 너무나 길다. 남자의 경우 60세 정년을 마쳤다 해도 평균수명 80세면 아직 20년은 더 남아 있다.

마음먹기에 달렸다.

건강관리를 어떻게 하느냐에 따라 건강수명은 더 늘어나고 있다. 우리는 너무 쉽게 포기하고 살아가는 것은 아닌지 생각해봐야 한다. 설령 내가 하고 있는 일이 폭삭 망했다고 해도 결코 포기해서는 안 된다.

IMF로 너도나도 부도가 나는 어려운 상황에서 마음을 다스리지 못하고 술로 보낸 사람들이 많았다. 그들 대부분은 자살과 같은 극단적인 선택을 하거나 돌이킬 수 없는 건강 악화로 폐인이 되었다.

반대로 술을 입에 달고 사는 대신 매일이다시피 산을 오르고 마음을 추스르며 책을 가까이하고 열심히 자기계발을 위해 공부했던 사람들은 나름대로 재기에 성공했다.

21세기는 지식과 정보화 사회이자 평생학습 시대다.

평생 학습하지 않으면 낙오할 수 있고, 지식을 통해 경쟁력을 키워나가는 사람들이 성공한다. 그래서 손에서 책을 놓지 않을 만큼 치열하게 책을 읽는 사람들이 많다.

『민들레 영토 희망보고서』의 주인공인 지승룡 사장도 그런 사람이다. 그는 교회 성직자로 활동하던 중 개인적인 어려움이 닥쳐 이혼을 하고 노숙자 생활을 하기도 했다.

2~3년 동안 노숙자로 생활하던 어느 날, 깨달음을 얻고 책을 읽기 시작했다. 그가 지금까지 읽은 책은 3천 권이 넘는다고 한다.

지승룡 사장은 지인의 도움으로 작은 포터 차량을 이용하여 포장마차를 하다가 마침내 '민들레 영토'라는 찻집을 운영하는 사장으로 재기에 성공했다. 체인점으로 운영되는 '민들레 영토'는 중국에 이어 미국 진출에도 성공했다. 지승룡 사장은 '민들레 영토'가 성공 가도를 승승장구하며 달릴 수 있었던 까닭을 그가 읽었던 책의 영향이라고 했다.

"책 속에 길이 있다."는 것이다.

재일동포 3세인 소프트뱅크의 손정의 회장도 독서광이다.

그는 창고에서 책상 두 개를 놓고 회사를 차렸다. 종업원은 단 두 명. 그가 두 명의 종업원들에게 회사의 비전을 제시하며 포부를 말하고 난 다음 날 두 명의 종업원마저 출근하지 않았다. 사장이 정신이상자라고 생각했기 때문이다.

손정의 회장은 간이 나빠 병원에 입원해 있었던 3년 동안 4천 권이 넘는 책을 읽고 건강을 추스르며 당당히 재기에 성공한 사람이다.

1983년 스물다섯에 일본 소프트뱅크를 창업한 손정의는 어느 날 회사 건강검진에서 중증 만성간염 판정을 받는다.

최악의 경우 5년 이상 버틸 수 없다는 날벼락 같은 선고였다. 진단받은 다음날 병원에 입원한 손정의는 그 후 3년간 투병생활을 했다.

그의 투병생활은 남달랐다. 그는 병상에서 미친 듯이 책을 읽었다. 손정의는 입원해 있는 동안 책을 통해 마음 속의 우상 사카모토 료마를 다시 만났다. 시바 료타로의 소설 『료마가 간다』를 다시 정독했던 것이다.

장편소설 『료마가 간다』는 손정의가 열여섯 살 때 평생의 큰 뜻을 품게 해준 책이었다. 료마를 다시 읽던 손정의는 스스로가 부끄러워졌다고 한다.

서른세 살에 생을 마감한 료마는 죽기 전 마지막 5년 동안 일본의 근대화를 이끈 인물이었다. 손정의는 료마를 다시 만나면서 마음을 다잡았다.

"자, 나도 5년이다. 그동안 뭔가 할 수 있는 일이 있을 거야. 그것을 하자, 목숨을 바쳐서."

손정의 회장은 입원해 있는 동안 보통 사람들이 평생토록 읽어도 다 읽지 못할 4,000여 권의 책을 단 3년 만에 읽었던 것이다. 자신만의 경영전략이자 소프트뱅크 특유의 경영전략인 '제곱병법'도 이때 창안했다.

# 하루를 즐겁고 알뜰하게 보내는 기쁨

하루가 24시간이지만 어떻게 보내느냐에 따라 25시간이나 48시간으로 바쁘게 살아가는 사람도 있다. 대부분의 성공한 CEO들은 분 단위도 아껴가며 시간 관리를 잘하는 사람들이다.

시간 관리를 잘하는 것은 삶을 잘 관리하는 것이다.

성공한 사람들의 특징은 허투루 시간을 보내지 않았다는 것이다.

오늘이란 시간은 어제 죽어갔던 사람들이 그토록 하루만 더 살기를 원했던 바로 그날이다.

술을 끊게 되면 좋은 점이 한두 가지가 아니다. 온전히 내 시간을 만들어 내가 원하는 대로 누리는 즐거움은 말할 수 없는 기쁨이다.

지독한 술 냄새로부터 해방되는 것도 무엇보다 좋다.

술을 많이 마시고 난 후 알코올 냄새나 막걸리 냄새는 술을 마신 자신도 코를 싸쥐고 얼굴을 찌푸릴 정도다.

가장 아깝다고 생각되는 건 뭐니 뭐니 해도 술자리에서 보낸 시간들이다. 술자리가 시작되면 아무리 줄여도 두어 시간은 금방 흘러간다.

2차, 3차라도 가게 되면 훨씬 더 길어진다. 늦게까지 술을 마시고 나면 아침 일찍 술에서 깨어나기란 쉽지 않다.

가끔 지하철을 타보면 자리가 있는데도 사람들이 앉지 않는 경우를 종종 본다. 술에 취한 사람의 지독한 술 냄새 때문에 자리가 비어 있어도 앉지 않기 때문이다.

출근해서도 술이 덜 깨서 얼굴이 벌겋게 홍조를 띤 사람들을 볼 수 있다. 술 냄새를 풍기지 않으려고 아무리 껌을 씹고 커피를 마셔도 소용없다. 술 냄새는 쉽게 사라지지 않는다.

최근 기업과 관공서에서도 올바른 음주문화 정착에 나서고 있다. 늦었지만 다행이다. 경찰의 음주문화에 대한 인식도 많이 바뀌어 가고 있다.

어쩌면 가혹할 정도다. 음주운전을 하다 적발되면 징계로부터 벗어날 수 없다. 징계처분을 받고 소청을 해서 복직되더라도 다른 근무지로 발령이 날 정도로 가혹하다. 법을 엄격하게 시행하는 것은 법을 집행하는 사람들이 법을 위반해서는 안 된다는 취지에서다.

올바른 음주문화를 정착시키려면 술을 마실 때 시간과 음주량에 신경을 써야 한다. 즐겁게 마시고 천천히 마시되 술을 강요하지 말아야 한다.

매일이다시피 사건사고 현장에서 술에 취한 사람들을 만나보면 잘못 배운 음주 습관은 남녀노소가 따로 없고, 평생을 간다는 것을 실감한다.

이때야말로 내가 술 끊기를 정말 잘했구나 하는 생각이 든다.

매번 술을 마시며 소득 없이 보내기보다는 공부하는 시간으로 활용하면 자신의 성장과 발전에 밑거름이 될 수 있다는 것은 두말할 나위도 없다.

퇴근하여 스펙을 쌓는 일에 투자를 하거나 책을 보거나 헬스장으로 가서 운동을 하여 건강을 챙긴다면 훨씬 모범적인 가장으로 인정받을 수 있을 것이다.

# 가까운 사람들에게 존재감을 인정받는 기쁨

술을 끊고 나서부터 주위 사람들의 시선이 달라지는 것을 볼 수 있다.

담배를 끊었다고 하면 독하다고 한다.

술을 끊었다고 하면 더 독하다고 한다.

내 생각에 더더욱 독한 사람은 술 담배를 끊지 않고 평생 즐기는 사람일 것이다.

내가 아는 지인으로 조영택 씨는 영업으로 성공한 사람이 있다.

그는 영업의 달인이라 불러도 좋을 만큼 영업의 귀재다. 그러다 보니 회사에서 인정을 받아 중역으로까지 승진했다.

조영택 씨는 언젠가 자신의 중요한 영업 비밀은 인간관계라고 말했다. 사람들과의 관계가 원만하다 보니 다른 사람들이 생각지 못한 영업실적을 올릴 수 있었다고 한다.

그런데 그가 강조하는 인간관계에서 빠질 수 없는 것이 술이다.

조영택 씨는 술을 잘 마셨다. 그를 아는 사람들은 누구라도 그의 술 실력을 인정해주었다. 왜 술을 잘 마실까? 궁금했다. 그의 고백을 들어보자.

"전방에서 소대장으로 근무할 때였어요. 강원도 원통의 한 공병부대였는데 동절기 교육 기간이 끝나면 공사하는 시간이 많아요. 일하면서 종종 부하들이 캐온 산삼이나 약초 같은 것을 많이 먹었어요. 그게 몸을 튼튼하게 했어요. 동료들과 같이 술을 똑같이 마셔도 저는 술이 취하지 않는 거예요. 정말 신기할 정도지 뭐예요."

타고난 강골은 아니었지만 장기간 몸에 좋다는 산삼이나 더덕, 뱀 같은 것을 자주 먹었다고 한다.

마냥 건강해 보이던 그가 50대 중반에 접어들면서 술에 취해 실수하는 일이 잦아졌다.

술버릇이 고쳐지지 않아 고민을 하기도 했다.

술에 취해 싸움을 하기도 하고, 어느 날 지갑과 휴대전화를 잃어버리는 일도 있었다.

잃어버린 물건이 영영 돌아오지도 않자 그의 아내와 아이들이 걱정스럽게 바라보던 눈길이 지금도 아른거린다고 한다.

그러던 어느 날 조영택 씨는 "술을 끊어야겠다."는 단호한 결심을 하고 끈질긴 노력 끝에 단주에 성공했다.

그 이후로 그는 술을 입에도 대지 않는다.

가장 좋아하는 사람은 그의 아내였다.

밤늦게 술에 취해 들어와서 옆집 사람들에게 창피할 정도로 떠들어대는 술버릇을 보지 않게 되어 정말 좋다고 한다.

조영택 씨는 술을 끊은 후로 일찍 집에 들어와서 가족들과 대화를 하는 모범가장으로 인정받는 게 기분이 좋다고 한다.

자신의 단주를 함께 기뻐하고 즐거워해 주는 사람들이 있다는 것이 더욱 행복하고 뿌듯했던 것이다.

조영택 씨가 술을 끊었다는 사실만으로도 큰 화제 거리였다.

종종 부부 모임도 있었는데 그가 술 실력을 뽐내던 행동을 친구 부인들도 다 아는 일이었기 때문이다.

그가 술을 끊었다고 하자 몸에 큰 병이라도 있느냐, 갑자기 종교에 입문했느냐고 묻는 사람도 있었다.

그러나 몸에 병이 있는 것도 아니고 종교의 영향도 아니며 자신의 의지력만으로 단주를 했다고 하자 모두들 놀라워했다.

단주하기가 쉽지 않다는 것을 알기 때문이다. 조영택 씨도 순전히 자신의 의지로 술을 끊었다는 사실이 흐뭇하기만 하다.

아직도 모임이 있을 때면 친구들이 조영택 씨에게 술을 권하며 술을 따르려고 한다. 그만큼 그가 술을 좋아했다는 것을 알기 때문이다.

그런데 천하의 술꾼이 술을 끊는 데 성공하여 가족이나 친구 등 가까운 사람들로부터 부러움을 사고 인정을 받는 기쁨을 누리게 된 것이다.

# 술 마시지 않으면 벌금 벌 일도 없어

아무리 성격이 좋아도 술에 취하면 이성을 잃기 쉽다.

지구대나 파출소에서 근무하다 보면 술에 취해 자신도 모르게 주먹질을 하여 벌금을 납부하거나 구속되어 후회하는 사람을 종종 보게 된다. 대부분은 술에 취해 이성을 잃고 행동했기 때문이다.

종종 음식점이나 술집에서 술에 취해 오가는 말 한두 마디를 빌미로 시비가 붙어 주먹이 오가기도 한다.

술에 취하면 운전하는 버릇 때문에 사고를 내고 후회하는 사람도 있다.

술만 취하면 아무하고나 시비를 벌여 신고가 되는 사람도 있다.

나쁜 술버릇은 항상 개운하지 못한 뒷맛을 남긴다. 사소하고 경미한 일로 경찰에 신고가 되면 훈방 처리가 되겠지만, 형사 사건으로 입건될 때도 허다하다.

지구대나 파출소에서는 쌍방 합의로 해결되지 않으면 형사 입건 처리한다. 지금은 사건을 처리하는 일종의 표준화 제도라고 할 수 있는 '킥스'라는 시스템으로 사건을 입력하면 취소할 수도 없다. 경찰서 형사과와 검찰청으로까지 핫라인으로 연결되어 있기 때문이다.

운 좋게 피해자와 합의라도 잘 되면 다행이지만 그렇지 않을 경우 형사 사건으로 처리가 된다. 또 현장에서 출동한 경찰관의 정당한 공무를 방해하거나 폭행이라도 했다면 상황은 달라진다.

술기운으로 이성을 잃고 경찰관을 폭행하여 구속되는 일도 종종 발생한다. 법을 경시하는 풍조가 만연해 있기 때문이다.

현장에 출동한 경찰관들도 공무를 수행하면서 나이와 관계없이 욕을 들어가면서 근무하고 싶은 사람은 없다.

순간적으로 화가 난다고 경찰관에게 화풀이를 하는 술꾼들도 있다.

경찰관도 인간인 이상 상식을 벗어나는 술꾼들을 보호만 할 수 없는 것은 당연하다. 순간적인 감정을 억제하지 못해 경찰관에게 욕을 하거나 공무를 방해했다면 모욕죄나 공무집행 방해죄로 처벌을 받게 된다.

술에 취해 경찰관에게 욕을 하여 모욕죄로 처벌받는 사람들도 종종 있다. 술기운으로 이성을 잃고 형사 입건되어 전과가 하나 붙는 일은 한 순간이다.

술에 취해서 싸움을 말리다 신세를 망치는 일도 있다.


경찰관이 꿈이었던 지인의 아들 박상구는 어느 지방대학 경찰행정학과에 다니고 있었다. 대학선배 서너 명과 같이 저녁모임을 마치고 노래방에 갔다가 노래방에서 나온 시간은 새벽 2시 무렵이었다.

박상구 일행이 노래방 앞의 편의점에서 음료수를 하나씩 사서 마시고 나왔을 때, 편의점의 모퉁이에서 술에 취한 같은 또래의 한 학생이 이들을 보고 시비를 걸었다. 사람을 잘못보고 싸움을 걸어왔던 것이다.

사실 한 시간 전에 이들과 처음 보는 젊은이들 사이에 한바탕 싸움이 있었다. 밑도 끝도 없이 방금 전에 자신을 때렸던 사람들이라고 하며 먼저 주먹을 휘둘렀다.

사람을 잘못 본 거였지만 CCTV도 없었고 본 사람도 없었다.

술에 취한 사람에게 갑자기 얼굴 부위를 한대 얻어맞자 정신을 잃었다. 이유 없이 주먹을 휘두르는데 가만히 있을 젊은이가 어디 있겠는가. 서로 엉키면서 싸움이 시작되었다. 결국 경찰이 출동을 해서 진정되었다.

관련자 4명은 형사 입건되어 경찰서에서 검찰청으로 쌍방 입건되어 송치되었다. 합의가 되지 않아 300만 원에서 400백만 원씩 벌금이 나왔다. 그런데 이들 대부분이 공무원 시험을 준비하고 있었다는 게 문제였다.

벌금이 많이 나오는 바람에 공무원시험에 결격사유가 되어 응시할 수 없게 된 것이다. 4년 내내 공부한 보람도 없이 시험도 보지 못하고 말았다. 본인은 물론이고 부모의 심정은 어떠했을까? 기가 찰 노릇이었다.


술에 취해 이성을 잃으면 사소한 다툼도 사건으로 처리되는 경우가 많다. 사건 처리가 되고 나서 후회한들 아무 소용없다.

비단 현장에서 싸우는 일뿐만이 아니다. 술에 취해 운전을 하다가 사고라도 났다고 생각해보라.

벌금은 물론이거니와 합의금을 물어야 하고 때로는 소중한 생명을 잃기도 한다. 대부분 술을 마시고 이성을 잃은 채 행동했기 때문이다.

술을 끊었다면 이렇게 억울하게 벌금을 낼 일이 생기겠는가. 결국 지갑에서 돈이 나가지 않아도 된다.

술김에 사고를 치지 않아 벌금을 내지 않는 일은 결국 지갑에 돈 쌓이는 즐거움과 마찬가지 아니겠는가.

# 좋은 습관으로 성장하는 즐거움

좋은 습관을 가진다는 것은 행복한 일이다. 오죽했으면 자식들에게 많은 돈을 물려주기보다는 좋은 습관을 물려주라고 했을까. 좋은 습관을 가져야 하는 까닭은 습관이 운명을 바꿀 수 있기 때문이다.

자기계발을 하기 위한 시간이 부족하다고 말하는 사람들이 많다.

그들 대부분은 시간이 얼마나 중요한지 잘 안다. 시간 관리를 잘하는 것도 좋은 습관을 가지는 일이다.

자기계발을 하고 싶지만 시간이 없다고 핑계를 대며 시간 타령을 하는 사람들도 볼 수 있다. 주변을 돌아보면 우리의 이성을 마비시키고 정신과 육체와 시간을 갉아먹는 것들이 널려 있다.

이런 것들을 버리지 못하면 인생이라는 먼 길을 가야 하는 나그네가 어깨에 모래주머니를 주렁주렁 매달고 가는 것과 같다. 먼 길을 떠날 사람에게 필요한 몸가짐[attitude]은 최대한 단출한 짐을 차리는 것이다.

2000년 1월 1일 술 담배 골프를 동시에 끊기로 결심했다. 2000년이라는 뉴밀레니엄을 맞아 자신에게 무엇인가를 선물하고 싶었기 때문이다.

술과 골프는 비교적 쉽게 끊었지만 담배는 그 후에도 몇 년 동안 흡연자와 비흡연자의 경계를 오락가락 했다. 그 이유는 술과 골프는 버리자마자 여유시간이라는 확실한 보상이 주어졌기 때문이다.

『시골의사의 행복한 동행』, 『자기 혁명』 등을 쓴 박경철 씨도 예외는 아니다. 그도 여기저기 강연에 참석하고 의사로서 수술을 하는 일 말고도 정신없이 바빴다고 한다. 그러던 2000년 1월 1일 평소 즐기던 술과 담배 골프를 끊기로 했다고 고백한다.

벤저민 프랭클린은, 절제, 침묵, 질서, 결단, 절약, 근면, 진실, 정의, 중용, 청결, 침착, 순결, 겸손과 같은 13가지의 덕목을 정하여 실천하였다. 그는 모든 덕목을 한꺼번에 실행하면 집중력이 분산되기 때문에 한 번에 하나씩 집중하여 실천하고 습관이 되면 다음 덕목으로 옮겨가는 방법을 썼다.

자기계발을 위해서도 마찬가지다.

우선 시간 관리부터 시작해야 한다. 자기계발에 시간이 없다고 하는 것은 핑계에 불과하다. 왜냐하면 자투리 시간을 이용해서라도 충분히 가능하기 때문이다.

성공과 실패는 마음가짐에 의해서 결정된다고 해도 지나친 말이 아니다. 마음가짐은 '마음의 준비'나 '스스로의 각오'다. '할 수 있다'는 마음가짐은 어떤 분야에서 무슨 일에 임하든 큰 원동력이 될 수 있다.

하루 2시간씩 시간을 내서 책을 읽고 글쓰기를 하여 정상에 선 사람도 있다. 잠자기 전에 하루 30분씩 책읽기를 해서 성공한 사람도 있다.

시도해 보기도 전에 자기계발의 열매를 맛볼 수 있는 사람은 없다. 우리는 소중한 것을 먼저 해야 한다.

그러기 위해서 시간 관리를 잘해야 하는 것은 당연한 일이다.

## 자기브랜드를 높이는 기쁨

    단주斷酒나 절주節酒를 하고 나서 변화가 필요한 여러분에게 나는 강력히 책읽기와 책 쓰기를 권하고 싶다.

    책읽기는 그러려니 하는 사람도 책 쓰기에 도전하라고 하면 대부분은 손사래를 친다.

    "내가 무슨 책을 써요? 말도 안 돼요."

    그렇지만 그렇게 말하는 사람도 책 쓰기에 도전하여 포기하지 않는다면 성공할 수 있다.

    이 경우의 사례는 나를 거론해도 무방할 것이다. 어쨌든 『굿바이 술』이라는 나의 책을 여러분이 지금 읽고 있을 테니까.

    나 역시도 그랬다.

    "술을 끊고 무엇을 할까?" 생각하다가 책 쓰기를 시작했다.

    그러나 문외한이었던 나에게 쉬운 일은 아니었다. 1년에 책 한 권도 제대로 읽지 않던 내가 마음만 먹는다고 당장 책을 쓸 수야 있겠는가?

    더구나 단주를 하고나서부터 금단증세까지 왔다.

금단증세라는 장애물에도 불구하고 우선 하루에 30분씩 책 읽는 습관을 들이기 시작했다.

물론 습관을 들이는 것도 쉽지 않았다. 자기계발서와 베스트셀러 중심으로 읽었다.

대부분의 자기계발서가 그렇듯이 긍정적인 생각을 가져라, 잘못된 습관을 버리라고 강조하고 있다.

사실 10대나 20대도 아닌 40대 중반에 그야말로 '책대로' 습관을 바꾸기란 쉽지가 않았다.

하지만 지금까지의 잘못된 습관을 버리고 좋은 습관을 받아들일 수 있는 절호의 기회로 생각하면서 하나씩 실천하기로 했다.

우선 책 읽는 습관을 들이기 위해 쪽수가 적고 주제가 가벼운 자기계발서부터 읽었다. 두꺼운 책을 들면 그냥 눈이 감겼기 때문이다.

쪽수가 적은 책에 익숙해지다 보니 차츰차츰 두꺼운 책도 부담 없이 읽을 수 있었다.

책읽기에 재미를 들이기 시작하면서 시작한 것이 일기 쓰기였다. 일기를 쓰면서 글쓰기에 조금씩 자신감을 가질 수 있었다.

일기 내용은 절주에 대한 감사의 내용을 하나씩 쓰기로 했다. 근무를 하면서 경험한 술 취한 사람들의 언행을 떠올리며 썼다.

근무하면서 술꾼들 때문에 힘들었던 내용도 빠지지 않았고, 술에 취해 횡설수설하는 모습은 반면교사로 활용하여 성찰하는 시간이 되었다.

무슨 일이든 처음 시작하기가 어렵지 습관이 되면 달라진다. 책읽기를 시작하면서 놀라울 만큼 커다란 변화를 맛보았다.

책읽기도 처음부터 쉬운 일은 아니었지만 이제는 우선순위에서 항상 첫 손가락에 꼽힌다.

평범한 교사였다가 베스트셀러 저자가 된 이지성 작가를 기억할 것이다. 그는 분당의 한 초등학교 교사로 근무하고 있었다.

어느 날 경제적 문제로 직장을 그만두고 책을 쓰기 시작했다. 처음 쓴 그의 책은 본 사람이 몇 사람 되지 않을 만큼 인정받지 못한 시집이었다.

그러던 그가 '책 쓰기'에서 나름대로의 영역을 구축하여 『여자라면 힐러리처럼』, 『리딩으로 리드하라』, 『꿈꾸는 다락방』을 비롯한 수많은 베스트셀러의 저자가 되었다.

이지성 작가도 처음부터 베스트셀러 저자가 된 것은 아니다. 그리고 처음부터 유명인사가 된 것은 더더욱 아니다.

그가 평범한 초등학교 교사에서 유명한 베스트셀러 저자로 거듭나게 된 것은 책을 썼기 때문이다.

이지성 작가 말고도 책을 써서 유명인사가 된 사람은 수없이 많다. 그들은 책을 썼기 때문에 유명해졌고 성공할 수 있었다.

2004년부터 술을 끊고 시작한 책 읽기와 일기 쓰기가 발전하여 자연스럽게 책 쓰기로 연결되었다.

한 권의 책은 누구라도 쓸 수 있다. 책을 쓰겠다고 마음먹고 실천하지 않는 행동이 문제일 따름이다.

이제 내 브랜드는 한 권의 책을 쓰고 나서부터 달라질 것이 틀림없다.

# 굿바이 술

**초판1쇄** 인쇄  2014년 6월 13일
**초판1쇄** 발행  2014년 6월 18일

**지은이** 김영복
**펴낸이** 이재욱
**펴낸곳** ㈜새로운사람들

**디자인** 이즈플러스(최은선)
**마케팅·관리** 김종림

ⓒ 김영복, 2014

**등록일** 1994년 10월 27일
**등록번호** 제2-1825호
**주소** 서울 도봉구 덕릉로 54가길25
**전화** 02)2237-3301, 2237-3316
**팩스** 02)2237-3389
**이메일** ssbooks@chol.com
**홈페이지** http://www.ssbooks.biz

ISBN 978-89-8120-499-0 (03330)

* 책값은 뒤표지에 씌어 있습니다.